SUR MA MÈRE

TAHAR BEN JELLOUN

SUR MA MÈRE

roman

GALLIMARD

À mes enfants,
Mérième, Amine, Ismane et Yanis

1

Depuis qu'elle est malade, ma mère est devenue une petite chose à la mémoire vacillante. Elle convoque les membres de sa famille morts il y a longtemps. Elle leur parle, s'étonne que sa mère ne lui rende pas visite, fait l'éloge de son petit frère qui, dit-elle, lui apporte toujours des cadeaux. Ils défilent à son chevet et passent de longs moments ensemble. Je ne la contrarie pas. Je ne les dérange pas. Sa femme de compagnie, Keltoum, se lamente : « Elle croit que nous sommes à Fès l'année de ta naissance. »

Ma mère revisite mon enfance. Sa mémoire s'est renversée, éparpillée sur le sol mouillé. Le temps et le réel ne s'entendent plus. Elle se laisse emporter par des émotions qui refont surface. Elle me demande tous les quarts d'heure « combien d'enfants as-tu ? ». Chaque fois je lui réponds sur le même ton. Keltoum s'énerve, intervient et dit ne plus supporter ces répétitions.

Ma mère a peur de Keltoum. C'est une femme dont

les yeux trahissent ses pensées mauvaises. Elle le sait et, quand elle me parle, les tient baissés. Elle est obséquieuse, quand elle me salue, se baisse tentant de me baiser la main. Je ne veux pas la repousser ni la remettre à sa place. Je fais semblant de ne rien comprendre à son manège. Dans les yeux de ma mère je lis la peur. Peur que Keltoum ne l'abandonne quand nous ne sommes pas à la maison. Peur qu'elle ne lui donne pas ses médicaments. Peur de la laisser sans manger ou pire de lui servir de la viande avariée. Peur qu'elle ne la frappe comme une enfant qui fait des bêtises. Dans ses moments de lucidité, ma mère m'a dit : « Tu sais, je ne suis pas folle ; Keltoum croit que je suis redevenue une petite fille, elle me gronde, me menace, mais je sais que ce sont les médicaments qui me jouent des tours. Keltoum n'est pas mauvaise ; elle est juste énervée, fatiguée. C'est elle qui fait ma toilette tous les matins ; tu sais, mon fils c'est elle qui ramasse ce qui s'échappe de moi ; je ne pourrais pas demander ça à toi, ni à ton frère, alors Keltoum est là pour ça aussi, le reste, il vaut mieux l'oublier... »

Comment oublier que ma mère est entre les mains d'une femme devenue avec le temps dure, cynique et rapace ? Pourquoi ma mère accomplit-elle son voyage vers l'enfance sous l'œil mauvais de cette brute ?

Ma mère m'a reparlé de la sage-femme, Lalla Radhia. Elle a insisté pour que je l'invite à déjeuner, m'a donné l'adresse : « Elle habite juste avant Batha, la grande place à l'entrée de la médina, tu vas au café de

Sallam, le mari de Khadouj, tu sais la belle-fille de Moulay Ali, mon oncle, donc tu vas au café et tu la demandes, tout le monde la connaît, il faut qu'elle vienne ! » J'ai beau lui rappeler que Lalla Radhia n'est plus de ce monde, elle réitère son souhait de l'avoir à déjeuner à la maison.

Depuis que ma mère a changé de chambre, elle est persuadée qu'elle a changé de maison et de ville. Nous ne sommes plus impasse Ali Bey à Tanger mais quartier Makhfiya à Fès. Nous ne sommes plus en l'an 2000 mais à la fin de 1944. Ses rêves ont du mal à s'éteindre. Ils envahissent ses moments d'éveil et ne la quittent plus. Le présent subit quelques secousses. Il tremble, vacille et s'éloigne. Il ne la concerne plus. Elle s'en est détachée et cela ne la préoccupe nullement.

Elle me dit avoir vu un homme et une femme parler dans le hall d'entrée de la maison. Ils seraient venus pour acheter la vieille maison de Fès. Elle me met en garde de ne pas la brader : « Les temps sont difficiles ; la guerre n'est pas terminée et puis ton père ne sera pas content ! J'ai entendu l'homme dire à la femme c'est une bonne affaire, il faut profiter de l'occasion ; on dirait qu'ils vivent avec nous et sont au courant de nos difficultés ; l'homme n'est pas de Fès, il a un accent de paysan ; le fassi est plus élégant, de toute façon on ne vend pas ! »

Aujourd'hui Zineb, son infirmière, vient changer ses pansements. Ne la reconnaissant plus, elle refuse de lui donner son pied à soigner. Zineb lui dit qu'elle ne lui fera pas mal. Elle sourit. « Si tu me fais mal, mon père ne manquera pas de te gronder. Je ne suis pas une enfant, alors tiens, nettoie cette plaie et ne me traite pas comme si j'étais une petite fille apeurée. » Les choses se remettent à leur place. Ma mère se souvient de tout. Ce n'était qu'un trou. Un trou de mémoire. Un peu de fumée sur les souvenirs.

Ma mère a jeté une jolie chaîne en or dans la cuvette des toilettes. Keltoum l'a récupérée et l'a lavée pendant deux jours et l'a fait tremper dans une eau de Cologne frelatée.

Ma sœur est arrivée de Fès pour s'occuper d'elle. Elle est vexée : elle l'a confondue avec sa propre mère. Ma sœur est âgée. Elle n'a que seize ans de différence avec ma mère. Fille d'un premier mariage. Elle s'en souvient très bien : « J'avais à peine quinze ans ; mon homme était fort et beau. L'épidémie de typhus l'emporta avant la naissance de ma fille. Veuve à seize ans ! »

2

Il y avait des étrangers dans la ville mais ce n'était pas encore la guerre. Je crois qu'on m'avait remarquée dans le hammam ; c'est souvent là que les mères choisissent des épouses pour leurs fils. Je m'en souviens, une dame âgée s'est approchée de ma mère et lui a demandé un peu de rassoul, le mien est fini, mais entre gens de bien, on peut se rendre service, n'est-ce pas, Lalla Haja ? ma mère qui n'avait pas encore été à La Mecque lui répondit Dieu ne m'a pas encore tracé le chemin de La Mecque, j'attends et j'espère, tiens prends ce rassoul, il vient de chez Chrif Wazzani, il sent bon et puis il fait du bien à la peau. J'entendais cette discussion sans me douter que c'était une demande en mariage. Il est vrai qu'à un certain moment, la dame a murmuré quelque chose dans l'oreille de ma mère du genre que Dieu te garde cette gazelle à la peau si blanche et à la chevelure si longue ! C'est ce qu'on dit quand on veut faire une proposition d'alliance : que Dieu la protège et l'éloigne des yeux des gens mauvais !

Quelques jours plus tard, ma mère me dit sur un ton

résigné, sans grand enthousiasme : je crois ma fille que tu vas te marier. Ton père est d'accord d'autant plus qu'il connaît bien la famille du jeune homme dont j'ai vu la mère, c'est une famille de Chorfas, des gens de la haute noblesse, des descendants de notre Prophète bien-aimé, le jeune homme travaille avec son père qui est commerçant dans le Diwane, juste à côté de ton oncle Sidi Abdesslam, d'ailleurs c'est lui qui a pensé à toi en voyant le jeune homme si bien se débrouiller. La mère a l'air d'une bonne personne, elle est d'une grande famille, nous avons découvert que nos parents se connaissent bien, ce sont des fassis authentiques, comme nous, et tu sais ma fille une fassia ne sera heureuse qu'avec un fassi de son rang, nous, on ne se mélange pas, nos ancêtres l'ont bien compris et ont cultivé les liens à l'intérieur de la même grande famille, jamais je ne donnerai ma fille à un homme dont la famille n'est pas connue, quelqu'un des villes étrangères comme Casablanca ou même Meknès. Le fassi pour la fassia, c'est une garantie et une prudence qu'il ne faut pas négliger.

Je l'écoutais sans dire un mot. J'étais intriguée et j'avais peur : mais yemma, j'ai à peine quinze ans ! je joue encore avec des poupées...

Ma fille, sais-tu que la dernière épouse de notre Prophète bien-aimé, sa préférée, Aïcha, n'avait que douze ans quand il l'épousa ? Tu es la fille d'un homme aussi considéré et respecté qu'un saint. Tu es la fille d'un Cherif, un descendant de la lignée du Prophète. Moi-même mes parents m'ont donné à ton père à seize ans.

— Quel âge a-t-il, ce fils de bonne famille ?

— Tu es devenue folle ? Ton oncle Sidi Abdesslam en a tellement dit du bien à ton père qu'on ne va pas mettre en doute ses paroles. Tout ce que je sais, c'est que c'est un jeune homme de qualité, issu d'une excellente famille aux origines bien connues et qui travaille avec son père au Diwane. Voilà, tu auras plus d'informations la nuit de tes noces, comme moi, car tu crois que j'avais vu ton père avant le mariage ? On se découvrit mutuellement et j'ai été la femme la plus heureuse du monde.

— Alors il doit être jeune !

— Absolument, c'est la première fois qu'il se marie ; ce n'est pas un de ces vieux qui cherchent à avoir une deuxième ou troisième épouse...

— Yemma, je ne te contrarierai jamais, je ferai ce que tu me dis de faire pourvu que j'aie ta bénédiction.

— Comme je ne te veux que du bien, tu n'as rien à craindre ! Tu sais ma fille, j'ai le cœur serré, chaque mariage est un pari, on ne sait jamais comment les choses vont se dérouler, c'est pour ça qu'on s'informe sur la famille, sur ses origines, c'est très important les origines, et puis ça nous donne quelques clés sur l'éducation, le problème c'est lorsqu'il y a tromperie, c'est arrivé, mon cousin, Sidi Larbi, on lui a refilé la sœur aînée de la fille que sa mère avait demandée en mariage, comment pouvait-il savoir, il l'a découvert la nuit de noces, nous aussi d'ailleurs, mais comme notre tradition refuse le divorce, il l'a épousée, c'est une bonne personne, pas belle du tout, mais elle a bon caractère ! Toi, tu ne risques rien, Sidi Drissi est un jeune homme de qualité, on connaît bien toute sa famille.

3

Le corps de ma mère ne cesse de se tasser. Elle est petite. Une petite chose légère, à la chair rare et endolorie. Sa vue a beaucoup baissé mais son ouïe est parfaite. Elle a reconnu l'appel à la prière dans le gazouillement d'un moineau. Elle dit : « Il nomme Dieu. » Ma sœur ne l'a pas contrariée ; elle a confirmé que l'oiseau est un ange venu prier avec elles.

De nouveau elle me confond avec mon frère aîné, me demande des nouvelles de ses enfants en mélangeant tout. Elle attribue les miens à un autre de ses fils. Je préfère en rire. Mon frère le prend mal et a les larmes aux yeux. Moi aussi j'ai envie de pleurer, mais je me retiens parce qu'elle a des moments d'excellente lucidité où je la retrouve, belle et élégante, intelligente et fine, consciente de ce qu'elle endure et de tout ce qui se passe autour d'elle. Elle ne perd jamais totalement la tête. Mon frère s'est amusé à calculer le temps de lucidité et le temps du délire. Il prétend qu'elle délire plus qu'elle ne se contrôle.

Hier Keltoum m'a demandé, gênée, de lui acheter des couches. Elle est de plus en plus incontinente. Ma mère refuse de les mettre. Elle en arrache la partie adhésive et les jette sous le lit. Keltoum est en colère. Elle n'en peut plus, me dit : « Vous, vous n'êtes là que quelques heures, moi je suis là tout le temps, le jour et la nuit, surtout la nuit. Elle dort mal et nous réveille pour parler de Fès et de ses frères, morts il y a longtemps ; dites au médecin de lui donner un médicament qui lui rende sa raison ou qui la fasse dormir ; je n'en peux plus ! »

Depuis toujours ma mère parle de la mort avec sérénité. Sa foi en Dieu a chassé toute peur de la mort. Un jour, alors que son état de santé n'était pas alarmant, elle me demanda de lui donner une grosse somme d'argent. « Pourquoi ? Ne sois pas comme ton père qui demandait toujours ce qu'on fait avec l'argent. Je vais refaire le salon, acheter un nouveau tissu, refaire la peinture de toute la maison, acheter deux belles tables basses, des couverts et des serviettes. » Et pourquoi tout ça ? « Je voudrais que la maison soit propre et bien rangée le jour de mes funérailles ; les gens viendront de tout le pays ; il faut qu'ils trouvent la maison en bon état. Il faut que le repas soit de qualité ; j'ai toujours reçu les invités avec grand cœur ; ma dernière invitation devra être la plus soignée, la meilleure ! Voilà pourquoi, mon fils, j'ai besoin d'argent. Je te le dis maintenant et ne l'oublie pas, il faut que ce soit une grande réception. »

La mère de mon ami Roland a fêté ses quatre-vingt-dix ans en faisant le tour du monde. Elle vit à Lausanne, est en bonne santé, joue au bridge tous les jours, lit des livres et va au cinéma. La vie en Suisse est moins fatigante qu'à Fès. Ma mère n'a jamais été à l'école, ne sait pas jouer au bridge, n'a jamais été au théâtre ni à l'opéra. Ma mère a eu trois maris et a fait quatre enfants, les a nourris et éduqués. Trois maris et une seule histoire d'amour. Cette histoire je ne l'ai pas entendue la raconter, je l'ai devinée. Ma mère ne parle pas d'amour. Ce mot, elle ne le prononce que pour ses enfants, elle dit je meurs pour toi, toi l'iris de mes yeux, l'arc-en-ciel de ma vie, je meurs pour toi ! Illettrée mais pas inculte. Elle a sa culture, ses convictions religieuses, ses valeurs et ses traditions. Vivre toute une vie sans jamais déchiffrer une page d'écriture, sans jamais lire des chiffres, vivre dans un monde clos entouré de signes qu'elle voit défiler devant ses yeux sans pouvoir les comprendre. Le problème est devenu aigu le jour où mon père fit installer le téléphone à la maison ; elle sentit le besoin d'apprendre les chiffres pour appeler ses enfants, sa sœur et son mari. Mon père lui apprit mais vite perdit patience et la laissa avec ces chiffres écrits en gros sur une ardoise. Elle décida d'apprendre deux numéros, pas plus, celui du magasin de mon père et le mien. Elle passait la journée à faire ces deux numéros jusqu'à les apprendre par cœur. Un jour elle réussit à faire correctement le mien. Elle tomba malheureusement sur le répondeur. Elle lui parla : *Toi la machine, tu es bien la machine de mon fils de lafrance, n'est-ce pas ? Alors, écoute-moi bien et surtout n'oublie rien de ce que je vais te dire pour que tu le lui transmettes à son retour, alors, voilà, dis-lui que sa mère a appelé, elle va bien, enfin un peu, elle meurt de nostalgie pour lui, dis-lui aussi que son père tousse beaucoup et ne veut pas voir le médecin, insiste sur ça, qu'il appelle son ami médecin pour qu'il vienne lui rendre visite, il tousse et crache des choses pas bien, dis-lui aussi que sa cousine Touria est partie à La Mecque, voilà, machine, n'oublie pas de lui dire de parler avec son père, dis-lui aussi que le sucre est monté chez moi après que Keltoum m'a contrariée, enfin, je pose le téléphone et compte sur toi pour faire la commission. Un dernier mot, je fais vite, dis-lui qu'El Haj, son cousin, a perdu sa femme, qu'il l'appelle pour les condoléances, merci, merci beaucoup !*

4

Ma mère a travaillé toute sa vie ; dans les cuisines, dans toute la maison. Elle n'a pas eu la vie facile. Je me souviens de ses énervements, quand le réchaud à pétrole était bouché et qu'il fallait enlever délicatement les saletés qui s'étaient amassées dans le conduit de pétrole. Je me souviens de la vie sans réfrigérateur, sans cuisinière à gaz, sans eau courante, sans téléphone. Ma mère s'est fatiguée beaucoup. Les bonnes qu'elle engageait profitaient de ses faiblesses. Que de fois elle s'est retrouvée toute seule à préparer un déjeuner pour quinze personnes, des invités de la dernière minute, en fait des gens de la famille qui débarquaient sans prévenir. Ils venaient passer des vacances chez nous. Elle devait leur être agréable, leur sourire et leur dire toutes les formules de politesse convenues : *ceci c'est un grand jour, vous avez illuminé notre maison, vous l'avez remplie de votre bonté, Dieu donne vie à celui qui vous voit, veuillez être indulgents avec nous, acceptez-nous tels que nous sommes, nous n'avons pas bien préparé votre venue, soyez patients, c'est un grand jour, très grand jour...*

Elle débitait ces phrases en pensant à l'immense travail que cette visite impromptue lui donnait. Elle n'avait pas le choix, comment faire ? Celui qui vient chez toi requiert ta protection, ton hospitalité. Parfois c'étaient des membres de la famille du mari, elle les recevait avec la même chaleur, le même sourire que si c'était ses propres parents. Elle en faisait un peu trop, car elle ne pouvait pas supporter la moindre remarque de son mari ou de sa belle-mère. Question de dignité. Elle savait qu'elle était mise à l'épreuve. Comment reçoit la petite nouvelle ? On va le savoir tout de suite, on débarquera chez elle sans la prévenir...

Elle était minée par l'angoisse de ne pas être à la hauteur. Elle aimait recevoir mais pas à l'improviste et pas n'importe comment. Maniaque dans le respect des règles et des traditions, elle avait peur de manquer de provisions et d'avoir honte. Hier encore elle m'a de nouveau fait promettre de lui organiser de belles funérailles : « Si tu t'en occupes, je sais que tu feras les choses en grand et bien. Tu as un grand cœur et je t'aime pour cela, depuis toujours, toi, tu as toujours eu une place à part dans mon cœur, mon foie ; donc tu me promets, ainsi je partirai avec un souci en moins ! »

Hier ce fut la journée de la lucidité ; elle est revenue sur tout ce qu'elle m'a dit d'incohérent : « Tu te rends compte mon fils ? J'ai cru que ton père est

encore vivant et je ne comprenais pas pourquoi il n'est pas venu me voir. Ah, ma tête, elle ne retient plus rien, elle me joue des tours et j'en ai honte. Je sais, ton père est mort il y a dix ans. Je sais, la femme de ton cousin est morte en accouchant il y a trente ans. Tous ces morts qui tournent autour de ma tête ! Ah, ça doit être le diabète, ça doit être à cause de tous ces médicaments que j'avale depuis si longtemps... Bon, aujourd'hui je me sens bien, je vois clair, je sais ce qui se passe, mais dis-moi, cette maison, vous n'allez pas la vendre, n'est-ce pas ? Je l'aime bien, je la préfère à celle de l'année dernière, celle qui donnait sur la mer. » Je rectifie : « Non, yemma, la maison sur la mer, on n'y habite plus depuis plus de trente ans. Là où tu es est ta maison, elle n'est pas nouvelle.
— Et ce jardin, il n'y avait pas de jardin dans notre maison... »

Tout cela parce qu'elle a changé de chambre. De sa fenêtre elle voit un vieux figuier et quelques plantes. Avant, elle vivait dans le salon qui se trouve derrière le tout petit jardin. La porte et les fenêtres fermaient mal. Il y avait des courants d'air. Le médecin l'a obligée à changer de chambre.

Ma mère a pleuré ce matin. Elle dit qu'on lui a pris ses enfants. On les lui aurait arrachés alors qu'elle leur donnait le sein. Elle avait une belle poitrine et une peau très douce. J'avais un enfant à droite, un autre à gauche. Je les nourrissais. Ils avaient très faim. Voilà qu'une femme tout habillée en noir se précipite sur eux et me les retire. J'ai senti une douleur précise à la racine des seins. Une lame qui fait une coupure dans la peau. Puis les enfants sont montés au ciel, ils sont partis très vite. Il va falloir que j'aille les chercher.

Ma mère a toujours été de petite taille. Mon père se moquait d'elle. Elle le prenait mal. Un jour il l'a appelée « media mujer » (moitié de femme). Là, elle a ri. Aujourd'hui elle n'évoque plus sa petite taille. Elle dit ses inquiétudes, son attachement obsessionnel à certains objets : son chapelet en plastique ramené de La Mecque par une de ses belles-filles ; ses lunettes de vue ; sa pierre polie pour faire ses ablutions ; son porte-monnaie où elle garde quelques billets... Keltoum a dû, plus d'une fois, abuser de son absence de mémoire pour lui soutirer de l'argent. Là, elle ne tient plus la caisse des courses. Je ne sais pas si Keltoum vole parce qu'elle a de plus en plus besoin d'argent ou parce que c'est une manie, une sorte de maladie. Ma mère s'est souvent plainte d'être volée. Elle disait : « Mais je ferme les yeux, ce n'est pas grave tant qu'elles ne s'en prennent pas à mes enfants... l'argent, c'est rien, c'est la mauvaise poussière de la vie. » Ma mère n'a jamais su comment se conduire avec les femmes qui travaillaient chez elle. Elle en faisait vite des amies, les traitant comme des personnes de la famille. Ensuite elle ne comprenait pas pourquoi elles la quittaient en emportant des objets de valeur : « Je les considérais comme ma propre famille ; je partageais mes repas avec elles ; je leur offrais certaines de mes robes ; je leur faisais des cadeaux et pour me remercier, elles me trahissaient et me laissaient sans aide... Les gens de la campagne ou des montagnes sont jaloux des citadins, c'est normal qu'ils perdent la tête et qu'ils se mettent à voler... »

L'année dernière, ma tante, alertée par notre médecin, est venue précipitamment la voir. C'était une fausse alerte. Ma mère décela sur le visage de sa sœur quelque chose qui ressemblait à de la déception. Sur ses lèvres on pouvait lire : « J'ai couru comme une folle et voilà que je trouve ma sœur qui se porte comme un charme ; je me suis déplacée pour rien ou presque ! » Elle ne lui dit rien, mais la visite fut brève. Cela me rappelle le film d'Ozu *Voyage à Tokyo*. Un des enfants, qui avait accouru au chevet de son père, avait regretté un déplacement qu'il jugeait inutile se disant « s'il mourait maintenant, ça nous arrangerait bien, ma femme et moi, nous n'aurions pas à refaire le voyage ! ». Quand je suis dans ma famille, il m'arrive de croire que je suis dans un film d'Ozu. Je vois les uns et les autres en noir et blanc. Je baisse le son et je ferme les yeux. La sœur de ma mère a pris depuis longtemps le parti de la légèreté. Elle aime plaisanter et dire parfois des choses blessantes. La vie l'a gâtée, elle s'était mariée avec un homme riche et très élégant qui ne lui refusait rien. Il lui arrivait de narguer ma mère en lui reprochant de ne pas voyager à l'étranger, de ne pas obliger son mari à lui offrir de belles choses. Ma mère ne pouvait pas lui rappeler que nous étions pauvres, que nous n'avions pas les moyens de vivre comme elle vivait.

Toute sa vie ma mère a eu la hantise de perdre sa maison, de se trouver ballottée de ville en ville, devenant une charge pour ses fils, une chose en trop pour ses belles-filles, un poids pour sa fille en dépression chronique depuis qu'elle a perdu son mari. Elle se souvient des dernières années de sa mère, vivant chez l'un de ses fils mort prématurément, ensuite recueillie par sa fille. Elle avait perdu son « lieu », sa dignité ; elle n'était plus chez elle ; elle était chez les autres même si les autres se comportaient bien avec elle. Elle a vu sa mère pleurer et se plaindre d'un manque d'attention, de l'habitude qui s'instaurait avec sa présence, elle parlait de solitude, du peu de considération dont elle aurait été l'objet. Elle était très susceptible. Normal pour une personne très âgée maniaque et nostalgique de l'époque où elle vivait comme une reine.

5

Ce matin, elle est à la recherche de son cherbile brodé or, très fine et jolie babouche que portent les jeunes mariées. Mais où est passé mon cherbile, mon beau cherbile tout en or brodé par les mains de Moshé le fils du rabbin, le grand spécialiste du fil d'or, mon cherbile, c'est sûrement Keltoum qui me l'a volé, elle vole puis elle cache son butin sous le lit, dès que je ferme les yeux elle appelle ses enfants ou petits-enfants et leur donne ce qu'elle a ramassé à emporter chez elle, mon cherbile, mon beau cherbile...

L'écriture de l'acte de mariage a eu lieu un vendredi après la prière de la mi-journée. Deux adouls en djellaba blanche, portant un tarbouche rouge, symbole des nationalistes, des babouches jaunes et fines, sont entrés suivis par les hommes de la famille du futur mari et des hommes de la famille de ma mère. Réunion entre hommes. Les femmes se tenant cachées dans les chambres avoisinantes. Derrière le rideau qu'elles entrouvrent discrètement, elles suivent la cérémonie. L'acte est rédigé en silence. On demande le nom exact et la date de naissance des deux conjoints. On donne l'année approximative de la naissance. Nous sommes en 1936, à Fès. Les Marocains ne possèdent pas d'état civil. Les gens se connaissent entre eux et n'ont pas besoin de vérifier la date de naissance. On dit il est né l'année de la grande sécheresse, ce devait être à l'époque où les Français venaient d'entrer au Maroc. Ou bien on dit lui est né la même année que le fils du Sultan, tu t'en souviens ? C'était le printemps... ou bien encore, sans nommer ma mère, ils ont dit la fille de Moulay Ahmed est née l'année où il a neigé à Fès, puis ils se sont mis à commenter cet événement exceptionnel, la neige, on ne l'avait jamais vue, toute blanche, étrange, on glissait, on tombait puis on avait du mal à se relever, on riait, puis un matin la neige a disparu, pas entièrement, elle s'est mélangée avec de la boue, elle est devenue sale, oui, je me souviens dit Moulay Ahmed, on a eu très froid, pas l'habitude de la neige, c'est le jour où ma fille, que Dieu la garde et la protège, est arrivée au monde, Dieu a choisi ce jour-là pour illuminer ma maison. Puis ils se sont tournés vers le père du marié, il a hésité puis a dit mon fils, que Dieu en fasse un homme, un vrai, est né le jour où la kissaria était en grève, les chrétiens s'installaient et on ne voulait pas d'eux, alors ça nous fait 1916, c'est ça, il a vingt ans.

« Par la Grâce du Très-Haut, le sieur Sidi Abdesslam Al Idrissi a pris en mariage pour son fils Mohammed, que

Dieu le protège et le maintienne dans le droit chemin, la demoiselle Lalla Fatma, fille de Moulay Ahmed, vierge, placée sous l'autorité et la dépendance paternelles, mariable et ce, pour une dote bénie formant un total de vingt mille Rials. Le père de la fiancée a reçu des mains du père de l'époux susnommé la somme convenue, en témoignent les deux notaires soussignés.

Le mariage se présente sous les plus heureux des auspices conformément aux prescriptions du droit musulman, se soumettant aux préceptes du Coran qui ordonne de se comporter avec la femme avec bienveillance, justice et amabilité ou bien de lui rendre sa liberté selon les bons procédés.

Le père de la fiancée a donné sa fille en mariage en vertu du pouvoir dont Dieu l'a investi. Le fiancé donne son accord sans conteste à cet acte conclu pour lui par son père, s'y oblige et le ratifie.

Puisse Dieu le Tout-Puissant bénir cette union et favoriser l'accomplissement de ses desseins. Que Dieu leur ouvre le chemin du bonheur, de la confiance, de la bonté et de l'assistance mutuelle. »

Les hommes se mettent debout, le plus ancien d'entre eux se place entre les deux chefs de famille et entame la « Fatiha » ; les mains jointes vers Dieu, ils prient.

À présent prions pour le Bien, pour leur bonheur, qu'Allah leur ouvre la route du Bien, qu'Allah les installe dans la bonne morale et sous la bénédiction de leurs parents, qu'Allah leur ouvre les grands chemins de la vie, qu'Il leur donne les enfants qui viendront grandir cette famille et remplir cette demeure si belle et si hospitalière, qu'Allah les maintienne dans sa Bonté et dans la foi de notre religion, dans sa miséricorde et dans la tolérance ! Amen, Amen !

Ils se passent les mains sur les lèvres puis sur la poitrine tout en continuant à psalmodier quelques prières : Gloire à Dieu, Dieu le Plus Grand, Maître de l'univers !

Ils se congratulent mutuellement en se disant : Bénie et heureuse soit cette alliance ! Que Dieu mène à bien tout cela ! Que cela finisse bien, dans le Bien, dans la joie et la bonté !

À présent, dit le plus vieux des adouls, ces enfants sont mariés selon le rite de notre religion, le sadaq a été remis à la famille de la fiancée, le mariage sera consommé quand les deux familles auront trouvé une date et surtout que la famille de la fille aura son trousseau et sa maison prêts.

6

Depuis deux jours ma mère réclame un certain Mostafa. Nous n'avons pas de Mostafa dans la famille. De qui parle-t-elle ? Elle insiste et se dit contrariée par cette absence. Quand on lui demande de qui il s'agit, elle s'étonne qu'on lui pose une question aussi incongrue. « Mais il s'agit de mon fils aîné, celui que j'ai eu à quinze ans, comment se fait-il que vous ne vous souveniez pas de lui ? C'est un homme beau et généreux. Il a eu plusieurs enfants, je ne sais plus combien ils sont, sa femme l'a dressé, il ne fait rien sans demander son avis ou plutôt il ne fait que ce qu'elle lui ordonne de faire. Mostafa a un cœur en or, un cœur tout blanc comme de la soie. S'il n'est pas venu me voir c'est à cause de sa femme. Si vous le voyez dites-lui que sa mère insiste pour qu'il vienne. »

Nous n'avons pas ce prénom dans notre famille. D'où lui est venue cette idée : un fils dont elle n'avait jamais parlé auparavant ? Le confond-elle avec mon grand frère ?

D'après Keltoum ma mère a passé la nuit à pleurer. Le matin, elle ne se souvient de rien. Elle a pleuré parce que l'autorité judiciaire lui aurait retiré ses deux enfants en bas âge. « Que répondre à ça ? » me demande Keltoum. Il n'y a rien à faire. Il faut l'écouter et ne pas la contrarier.

Hier elle m'a demandé de l'argent, pas beaucoup, juste pour ne pas se sentir complètement démunie. C'est Keltoum qui gère l'argent du ménage. Je lui donne un billet de cent dirhams. Elle a du mal à le mettre dans sa poche, pleine de chiffons. Elle a peur de manquer de mouchoirs. Juste après, elle me redemande sur le même ton un peu d'argent. Elle avait déjà oublié. Lorsque je lui rappelle que je lui ai déjà donné cent dirhams, elle me dit « Keltoum me l'a volé ». Puis, après un instant, elle me regarde, me dévisage et me dit : « Mais qui êtes-vous monsieur ? vous connaissez mon frère, celui que sa femme a transformé en mie de pain, il est si doux et n'ose pas contrarier celle qu'il appelle Lalla Lallati... Tiens il faut que j'accompagne ma mère pour voir Moshé qui prépare la broderie de mon trousseau, c'est le meilleur de tout le mellah, il a des doigts en or, il est si bon qu'on dirait un musulman ! »

Comment s'appelle cette maladie ? Alzheimer ? Ma mère a des moments de parfaite lucidité et cohérence. Ils sont certes de plus en plus rares. Qu'importe le nom à donner à cette maladie. À quoi servirait-il de la nommer ? Elle dit : « La mémoire a perdu son tranchant ! Avec l'âge, ma tête est devenue petite ; elle ne peut pas tout retenir ; il y a trop de choses dedans. Pose-moi des questions pour voir si je n'ai pas tout perdu... » Elle cite les prénoms de ses enfants et petits-enfants, mélange les époques et les villes, rectifie d'elle-même, rit de sa sénilité et proteste parce que la télévision marocaine ne passe plus ses chanteurs préférés.

Elle qui n'a jamais manqué une prière ne prie plus. Elle oublie et ne sait plus comment faire les ablutions avec la pierre polie et quoi dire dans ces prières. Keltoum me dit « elle fait sous elle et sait qu'étant souillée, elle ne peut pas prier ».

Ma mère est devenue très impatiente. Quand elle réclame quelque chose, elle crie et proteste. Keltoum manque aussi de patience. S'occuper vingt-quatre heures sur vingt-quatre d'une vieille personne qui n'a plus sa tête demande plus que de la patience. Il lui arrive de s'énerver, de réclamer des vacances, une façon aussi de demander une augmentation, ce que je ne discute pas. Son travail n'a pas de prix. Prendre dans ses bras une vieille petite femme, la porter à la salle de bains, lui faire sa toilette, l'habiller, la rassurer, répondre pour la dixième fois à la même question, la ramener dans sa chambre, lui donner ses médicaments, lui préparer son repas, lui faire la conversation et ne jamais l'abandonner. Seule sa propre fille aurait pu le faire, mais ma sœur Touria est en dépression et n'a aucune patience avec sa mère.

Ma mère a accepté de faire un tour en dehors de la ville. On l'a portée jusqu'à la voiture, Ahmed m'a prêté sa Mercedes, plus confortable que ma Fiat Uno, on l'a installée et on a ajusté ses lunettes. Elle est contente et émue. Elle dit des prières pour que tout se passe bien. On sort en marche arrière et elle se demande ce qui lui arrive. Elle ne reconnaît pas la ruelle ni les voisins. Son amie qui habitait en face de la maison a déménagé. Elle se souvient d'elle et des après-midi passés ensemble. Je roule doucement pour qu'elle profite du paysage. Je prends la route du cap Spartel, m'arrête pas loin du phare et lui explique que là se rencontrent les deux mers, l'Atlantique et la Méditerranée. Elle m'écoute mais a l'air pensif. Elle me dit où se trouve la maison de son fils Mohamed. Je lui rappelle qu'il habite à Casablanca. « Il aurait pu m'avertir », murmure-t-elle. Je ne la contrarie pas. On continue la promenade jusqu'au Mirage. C'est un bel hôtel avec vue sur la mer. Elle refuse de sortir de la voiture. Crainte d'être vue dans cet état. On l'installe dans un fauteuil et à deux on la transporte à l'ombre d'un arbre, face à la piscine. Elle me dit : « C'est à toi, tout ça ? C'est ta villa ? Tu l'as bien mérité, c'est beau, la piscine, la mer, l'herbe, la verdure et le silence ! tu as bien choisi l'endroit, que Dieu te donne encore plus de chance et de bonté pour que toi et ta famille viviez longtemps et sans souci ! » Je lui fais comprendre que c'est un hôtel où j'ai pris l'habitude de passer les vacances d'été. Elle me dit : « Cet endroit te ressemble ; il est beau. » Puis elle somnole, se réveille soudain et réclame Keltoum : « Prépare les affaires du bain, on va au hammam, demain je me marie, vite, vite, pas de temps à perdre, ma mère est très occupée, toutes mes cousines sont venues pour la cérémonie du hammam, demain je me marie, j'ai peur, je ne connais pas mon homme, je ne sais pas s'il est grand et beau ou petit et laid, je ne sais pas s'il a toutes ses dents, si je lui plairai, allez préparons le sac pour le hammam, n'oublie pas les oranges et les œufs durs, n'oublie pas le rassoul parfumé et le henné de Moulay Idriss, vite, les filles, vite, le jour va partir... »

7

Toutes les cousines de son âge sont là, rieuses, plaisantant, fières d'accompagner la plus jeune d'entre elles à la cérémonie du hammam. Chacune a son seau en cuivre blanc. Elles sont une dizaine, Amber, l'ex-esclave noire de Moulay Ahmed, prend les choses en main : suivez-moi, entourons la princesse, la beauté, la gazelle, celle qui demain sera offerte à un homme de bien, un homme de grande famille, celui qui lui donnera de la joie et des enfants, Que Dieu les bénisse et les rende heureux.

Le hammam a été réservé pour cette occasion ; Zoubida, l'Assise, reçoit ce cortège en poussant des youyous ; Amber en appelle au Prophète et à ses compagnons ; les tayabates, masseuses et laveuses sont là, on laisse les habits à l'entrée à côté des valises contenant des vêtements neufs. L'entrée au fond du hammam se fait dans la joie et les cris. Les cousines taquinent Amber qui, avec ses seins énormes, les fait rire. Elle est grosse et s'en moque. Ses seins tombent comme des fruits lourds. Les filles sont fières de leurs petits seins bien fermes. Elles se touchent, se font des chatouilles, rient, manquent de glisser et de tomber. Une masseuse prend en main la mariée. Elle la caresse lentement, la lave puis se met à la masser sérieusement. Après un moment, Amber se sentant fatiguée demande qu'on se repose un instant, le temps de manger quelques oranges. Elles quittent la chambre chaude, s'installent dans la pièce tiède. Là elles respirent. Elles mangent, boivent de l'eau fraîche, se détendent puis repartent vers la grande chaleur pour terminer le nettoyage de la peau. La masseuse leur montre comment frotter pour enlever les peaux mortes sans se faire mal. Elle leur dit, ici c'est le cimetière des peaux qui ne servent à rien, c'est aussi le lieu où on supprime tout ce qui dépasse sur la peau des femmes, les poils, ah, les poils, il faut les éliminer, le mari quand il se met au lit avec sa gazelle, il ne doit rencontrer que de la douceur, une peau lisse, douce, belle, tout ce qu'il n'a pas, vous comprenez mes petites, la peau d'une femme doit être préparée, tout le corps doit être préparé, l'esprit aussi, mais la nuit de noces, c'est le corps qui est à l'épreuve ; un conseil pour notre jolie gazelle qui sera offerte demain à son homme : glisse entre ses mains comme un poisson, ne te donne pas d'emblée, il faut qu'il te cherche un peu, laisse-le te mériter, tu sens bon, tu es prête, pas un poil sur toute ta peau, tu es un fruit mûr, mais il faut qu'il se fatigue un peu. Tu es obéissante évidemment, mais en même temps, tu as le droit de jouer un peu, après tout tu es encore une enfant, une gamine d'à peine quinze ans !

Arrive le moment du taqbib : les tayabates ont rempli d'eau tantôt chaude tantôt tiède sept seaux ; elles puisent dedans pour verser cette eau sur la tête de la future mariée ; elles prétendent que le récipient avec lequel elles prennent l'eau vient de La Mecque. Après les sept lavages, elles proclament que la gazelle est sous la protection des anges !

Trois heures après, Amber remarque que la gazelle n'en peut plus, elle s'évanouit. Amber la prend dans ses bras et l'installe dans la pièce du hammam où la vapeur est supportable, le temps de l'entourer dans une grande fouta, la serviette de bain achetée pour cette occasion, et la sort dans la salle de repos, lui donne à boire un verre de lait, puis lui fait sentir un parfum fort. Les filles la rejoignent ; sa cousine Aïcha dit n'importe quoi pour la rassurer : c'est l'émotion, le moment fatidique approche, tu as de la chance, quand est-ce ce sera mon tour, je suis trop vieille, bientôt vingt ans et pas encore mariée, je suis l'aînée et ma sœur cadette s'est mariée avant moi, c'est le monde à l'envers, pourtant je suis jolie, moins jolie que toi, mais j'attends, ce qui a été écrit pour moi se réalisera... je ne serai pas une marchandise périmée...

8

Entre mon ami le docteur Fattah et moi il y a une promesse : si l'état de santé de ma mère s'aggrave soudainement, il est de son devoir de me prévenir. C'est ce qu'il a fait au mois de mai. C'est au ton de sa voix que je sais les choses ; il parle doucement, pèse ses mots et dit simplement ce qu'il y a à dire. Le lendemain je me trouvai à son chevet. Je remarquai qu'elle occupait la même chambre que celle où mon père décéda dix ans auparavant. La première impression est la plus terrible : le teint de la peau, jaunâtre et pâle ; les yeux vitreux et fixant le plafond ; la mâchoire inférieure révulsée et rentrée ; la bouche ouverte ; le regard absent. Ma mère visitée par la mort. Mon frère me dit, les larmes aux yeux : « J'ai pris rendez-vous avec Hadj, notre cousin, lui sait ce qu'il faut faire pour préparer la tombe et les funérailles ; son état est sans espoir. » Malgré ce que j'ai vu, malgré les pronostics très réservés des médecins, mes intuitions n'allaient pas dans le même sens. Ma mère n'allait pas mourir. Pas cette fois-ci. Elle ne savait pas où elle était ni qui l'entourait. Je lui prenais la main et lui parlais doucement. Les gens de la famille proche défilaient. Dans ses rares instants de lucidité elle donnait des ordres à Keltoum pour préparer le dîner et mettre la table ; elle insistait pour que les nappes soient propres et repassées. On se relayait à son chevet, mais ma sœur et Keltoum ne la quittaient pas.

Quoi faire au chevet de ma mère ? Les grandes émotions passées, on s'ennuie. Il n'y a rien à faire. On reçoit les visiteurs. On répond au téléphone. On surveille sa respiration. On attend la visite des médecins. On regarde les murs de la chambre, on suit les lignes des fissures dues à l'humidité, on regarde le plafond, on ne fait rien, on attend, on parle avec les infirmières. J'ai appris des choses sur cette clinique. Pas très beau ce qui s'y passe. L'argent rend fou. Certaines infirmières sont payées mille dirhams par mois, d'autres pas payées du tout parce qu'elles sont considérées comme stagiaires. Les hôpitaux publics ne sont guère mieux. Je préfère un hôpital bien équipé et qui marche bien à un Parlement où on passe des heures à palabrer. Mais là c'est une autre histoire. Pour ma mère les choses se sont bien déroulées. On payait d'avance et on filait de gros pourboires aux soignants. Les médecins étaient compétents.

Quand elle a quitté la clinique, elle ne s'est rendu compte de rien. Le retour à la maison s'est passé sans aucun problème. Elle a cru qu'elle avait juste changé de chambre et plus tard de maison. Aucun souvenir de son séjour dans cette clinique. Tant mieux.

Le souhait le plus cher de ma mère se résume en cette prière : « Que Dieu me fasse mourir en votre vie ! » Comme toute mère, l'idée de perdre un enfant la rendait folle d'angoisse. Elle a vu comment sa mère a souffert de la mort prématurée d'un de ses fils. Un deuil impossible. Un fait qu'elle n'ose même pas imaginer. Trop douloureux. « Mourir, oui, mais entourée de mes enfants. »

J'ai appris à apprécier cet égoïsme : un amour si fort, si entier qu'il n'est possible que dans la vie des siens et la mort de soi. Que faire de cet amour si l'un de ses enfants est emporté par la mort brutale, rappelé à Dieu comme elle dit ? Les mystiques musulmans, les soufis, ne disaient pas autre chose à propos de l'amour de Dieu. Ma mère n'était pas mystique mais elle célébrait les choses simples, les valeurs essentielles ; elle le faisait dans un don d'elle-même, sans trop insister ni étouffer ses enfants. Un jour j'ai dit dans une émission de radio que ma mère musulmane était une « mère juive » et j'ai ajouté, « juive mais pas abusive ». Elle nous disait : « Je meurs pour vous ; j'ai un foie qui ne connaît pas de répit, il me relance tout le temps ; mon cœur tremble et mon foie m'étrangle quand je suis inquiète pour vous ; je suis comme ça ; il n'y a rien à faire, c'est plus fort que moi ; vous pouvez vous moquer de moi, mais le jour où vous aurez des enfants, vous saurez ce que c'est que l'inquiétude qui brûle la poitrine. Je pense tout le temps à vous ; j'ai peur des regards des gens ; le mauvais œil existe, il est d'une efficacité redoutable, il sort comme une pieuvre à la recherche d'un bonheur à détruire. Il y a des gens qui vous veulent du mal tout simplement parce que vous êtes en bonne santé ou parce que vous existez. Que Dieu vous préserve des yeux mauvais des gens ! Qu'il vous protège de leur venin ! Qu'il vous mette au-dessus de leur cruauté et qu'il fasse de vous une lumière qui éclaire ceux qui vivent dans les ténèbres ! L'être humain n'est pas toujours bon. Je n'arrive pas à me méfier. Je crois ce qu'on me dit, je pense que les gens sont sincères et de bonne foi, mais je n'arrive pas à mentir et à faire semblant, c'est ça qui me fait mal, mais je préfère être ce que je suis. C'est mon éducation. Ma mère était ainsi. Mon père était un saint que des gens venaient consulter. Il était connu pour sa bonté et sa culture. Moi, j'ai hérité de lui cette bonté qui m'a souvent joué des tours. Mais qu'importe, je vous ai et c'est le principal. Voici pourquoi je demande à Dieu de me faire partir dans sa miséricorde alors que je serai entourée de vous tous. Nous prierons ensemble et je m'en irai doucement, comme ma mère. »

La sœur cadette de ma mère est une femme dynamique et bonne vivante. Elle a épousé un homme d'une famille riche. Notre enfance à Fès a été marquée par cette famille, la première à avoir acheté une automobile, à avoir une maison de campagne où nous étions invités au printemps, à avoir le téléphone et surtout la première famille fassie à quitter la médina. Ces gens riches aimaient les choses simples même si on décelait chez eux une pointe de supériorité qui nous rappelait que nous n'appartenions pas à la même classe. Ma mère n'a jamais nourri de complexe à leur égard. Mon père non plus. Il critiquait leur mode de vie et cela les faisait rire. Mon père avait beaucoup d'humour et maniait l'ironie avec plaisir. Ma tante taquinait mon père, lequel se moquait allègrement de sa façon de vivre où l'apparence était aussi importante que les choses fondamentales. On disait que ses paroles avaient du sel ou du sucre, du miel et du piment, de la vérité crue et de la cruauté. Il ne se gênait pas pour dire des choses blessantes mais vraies.

Ma tante est venue voir ma mère. Elle a apporté avec elle une bonne dose de bonne humeur. Ma tante a été choquée : elle a été prise pour quelqu'un d'autre. « Ma petite fille, lui dit ma mère, ça fait longtemps que je t'attends. » En même temps elle a de nouveau confondu sa fille avec sa mère. S'adressant à sa sœur elle dit : « Tu sais, ma fille, ma mère est là, oui ta grand-mère, elle est là mais elle ne me reconnaît pas. Elle n'est pas gentille. Elle est arrivée de Fès et ne pense qu'à repartir. Je ne lui ai rien fait de mal. Parle-lui, elle t'écoutera. Demande-lui pourquoi A., ma sœur cadette, n'est pas venue me voir, ce n'est pas son genre, elle a toujours accouru pour venir à mon chevet, je suis sa sœur aînée, je l'ai élevée en même temps que ma fille, je crois même qu'elles ont tété le même sein. J'étais jeune et en bonne santé. Ma mère n'avait pas la force de s'occuper de la maison, de tous ses enfants, alors elle m'a confié Amina et je l'ai considérée comme ma propre fille. Elles ont le même âge, compte, tu verras qu'elles sont de la même année, seuls six mois les séparent. »

Ma mère est assise sur le bord du lit. Son pied gauche est plus enflé que le pied droit. Le pansement doit le serrer un peu. Elle porte un tchamire rose, sorte de robe d'intérieur. Sa tête est comme d'habitude couverte d'un foulard blanc. Depuis qu'elle a eu des cheveux blancs, elle se couvre la tête. Elle porte un bracelet en or. Ma mère s'ennuie. Elle regarde la fenêtre et ne dit rien. Elle change de position, pose le pied malade sur le lit et fixe l'armoire en face d'elle. Elle appelle Keltoum. Keltoum ne lui répond pas tout de suite. Elle la rappelle. Keltoum lui dit « j'arrive ». Ma mère lui dit « fais vite ». Keltoum arrive, la regarde comme si elle allait la gronder, puis dit : « Il n'y a que Dieu pour la supporter. » Ma mère crie : « Ne me laisse pas seule ! pourquoi tu t'isoles dans l'autre côté de la maison et tu m'abandonnes ! je vais faire des prières contre toi et tu verras que Saint mon père n'aime pas ça, allez, viens, assieds-toi et ne bouge plus ! »

Ma mère et Keltoum s'ennuient. Chacune regarde fixement un coin de la chambre. La télévision passe un feuilleton américain doublé en espagnol. Les couleurs sont vives. Les images tombent de l'écran et vont se mêler à la poussière sur le tapis. Ma mère sourit, seule. Keltoum somnole. Le téléphone sonne. Événement de la journée. « C'est ton fils qui appelle. — Lequel ? — Celui qui appelle tous les jours ! »

Je parle à ma mère. Quand je lui demande « comment ça va ? », j'ai toujours la même réponse : « Je suis là à ramasser quelques miettes du temps jusqu'à ce que Dieu décide la délivrance ; je suis entre ses mains ; la mort est un fait ; il y a rien à dire, j'attends ! »

Je me renseigne auprès de Keltoum. Elle me doit la vérité et me dit si elle a bien dormi, si elle a la diarrhée, si elle a déliré, etc.

Je la reprends au téléphone. Là, elle se plaint de Keltoum tout en riant. Quand elle rit, c'est bon signe. Alors je réclame ses prières et sa bénédiction. Elle les connaît par cœur et les dit avec toute son énergie, sans se tromper, sans hésiter. Quand elle me bénit, ma mère garde toute sa tête. Elle lève les yeux au ciel et s'adresse directement à Dieu. Il suffit qu'elle les dise pour que je me sente protégé. Ce n'est pas rationnel, mais je ne cherche pas à casser les symboles et les images. Ma mère me voit comme un être fragile dont il faut éclairer le chemin. Elle ne cesse de prier pour écarter de ma route les ennemis, les méchants, les jaloux. Elle les voit et les chasse de sa main.

Cela fait longtemps que ma mère prie assise, avec les yeux. Elle murmure ses prières, tourne son index droit et pour finir lève ses mains jointes et adresse à Dieu ses souhaits les plus précieux.

Aujourd'hui elle ne parle que de ses bijoux. Elle dit qu'ils ont disparu. Il y a quelques années, elle les a distribués à ses petites-filles et belles-filles. Elle disait : « Pour ne pas vous disputer après ma mort, je préfère vous donner ces bijoux. Je garde juste ce bracelet et ce collier. » Le collier, elle l'avait jeté dans la cuvette des toilettes. Keltoum pensait qu'il lui revenait de droit. Ma mère l'a réclamé. Keltoum le lui a jeté sur le lit en disant j'aurais dû le laisser dans sa merde. Le bracelet, ne pouvant pas sortir de son poignet, était à l'abri.

9

Ce collier est précieux. Ma mère le portait la nuit de ses noces. Une nuit longue, interminable. Elle attendait parée de ses bijoux, entourée des négafats, des femmes de compagnie assurant le protocole de la cérémonie. La fête se déroulait dans deux maisons. La famille de la fille attendait. Celle du jeune homme se préparait à venir enlever la mariée. Le temps était particulièrement long. La fille avait sommeil, ses yeux se fermaient. La fatigue du hammam puis la tension ambiante ajoutée à la peur, la peur et la curiosité de découvrir l'homme, son homme pour la vie, car dans ces familles, le divorce n'existait pas, on se mariait pour toujours que l'entente existe ou pas.

La fille attend et compte ses années, ses mois. Elle refait le compte plusieurs fois. Quinze ans et sept mois ou bien seize ans et quelques semaines. On lui a dit qu'elle a cinq ans de plus que son frère, que sa petite sœur est encore un bébé, alors cela me fait quinze ans et demi, j'ai eu mes règles il y a cinq ans, on m'a dit que j'étais précoce, j'avais dix ans, alors j'ai quinze ans...

Elle compte pour ne pas s'endormir. Les bijoux prêtés par les négafats sont lourds, le caftan brodé est lourd, le maquillage est lourd, l'air qu'elle respire est lourd, le bruit qui monte de la fête la rassure. Elle est prête. Prête à prendre la main de son homme, cet inconnu, ce fils de grande famille, cet homme dont elle ne connaît ni le visage ni la taille, un homme fait pour elle, choisi par les parents, une sorte de consensus entre gens de bien, elle attend, serrée dans son séroual, enveloppée de tous ses habits d'apparat, elle attend et n'a aucune idée sur la manière dont les choses se dérouleront. Elle imagine, elle fait un effort pour voir cet homme dans une nudité qu'elle s'invente, elle n'ose pas aller plus loin, elle a peur, elle a soif, elle n'a pas faim, elle a besoin de parler à une amie déjà mariée pour qu'elle lui dise ce qui doit se passer.

Vers trois heures du matin, arrive la doyenne des négafats, une femme imposante par son poids, par son autorité naturelle et par son regard qui fait baisser les yeux des jeunes filles : ma fille, tu sais ce qui t'attend, il est de mon devoir de t'initier et de te donner quelques conseils précis et pratiques ; ton homme entrera ici dans cette dakhchoucha, tu te lèveras, tu t'avanceras vers lui, les yeux baissés, jamais tu ne lèveras les yeux sur lui, et tu lui baises la main droite ; tu ne la gardes pas, tu la lâches et tu retournes t'asseoir sur le lit. Pendant qu'il retire sa djellaba, son jabador et son séroual, tu attends qu'il te donne l'ordre de te déshabiller, dans un coin de la pièce peu illuminé tu retires tes bijoux puis ton caftan, tu gardes ton tchamir blanc et tu gardes aussi ton séroual, c'est à ton homme de le retirer. Attention, pas de cris, pas de pleurs, c'est un moment historique, pour la première fois un homme va toucher ta peau, laisse-le faire, sois obéissante, douce et détendue. N'aie pas peur, il va essayer de te pénétrer, tu ouvres grand les jambes, tu ne penses à rien, au début c'est douloureux, s'il a du mal à entrer en toi, prends cette pommade, tu la caches sous l'oreiller, tu en enduis discrètement tes lèvres inférieures pour faciliter l'opération, quand il est en toi, tu le retiens avec les pieds qui viendront se caler sur ses fesses, laisse-le bouger, ne pense pas à avoir du plaisir cette nuit-là, oublie ma fille, on a besoin du sang sur ton séroual tout blanc, si tu as mal ne crie pas, étouffe, prends, subis et surtout que tu nous prouves à nous toutes et tous que tu es vierge, une fille de grande famille, une fille qui porte l'honneur de cette famille et lui donne du rouge sur les joues, voilà ma fille, la première fois est pénible, mais après, quand la blessure sera apaisée, cicatrisée, tu ne lâcheras plus ton homme.

La famille du marié s'est annoncée par la fanfare, les cris et les youyous. Tout le monde chante : il est arrivé, l'a enlevée et ne l'a pas laissée, je vous jure qu'il ne l'a pas ratée, je vous jure qu'il l'a enlevée, l'a prise et ne l'a pas ratée !

Au même moment les négafats présentent la mariée parée de bijoux étincelants et réclament de l'argent pour que sa famille la délivre. Les négafats disent sur le même ton : la voilà en otage, venez la délivrer, la voilà toute belle, mais elle a besoin de vous pour quitter cet état ! C'est le charme qui est là, la beauté et la raison, voici les dattes parées de mystère, voici le miel raffiné, voici la finesse et l'élégance, la douceur des pigeons, la souplesse du roseau, le charme et la beauté...

Alors la mère la première avance et glisse un gros billet autour de la ceinture de la maîtresse négafat, suivie par le père qui fait de même, puis le reste de la famille jusqu'à ce que les négéfats considèrent que la rançon est suffisante.

Le départ. Ma mère pleure. Sa mère pleure. Les bonnes pleurent. Le bruit devient insupportable. Il faut que ça s'arrête, la nuit pèse des tonnes dans le cœur de cette jeune fille emportée par un homme, un étranger, quelqu'un qui va la posséder, en faire sa femme et peut-être la rendre heureuse.

Le cortège quitte la maison. Ma mère garde les yeux baissés. Elle pense s'évanouir dans ce tintamarre. L'homme lui prend la main. Juste deux rues à traverser. Elle marche en s'appuyant sur lui. La première fois qu'une main d'homme serre la sienne. Elle ne pense pas, ne pense à rien, avance, la peur au ventre. Elle entend les échos de la musique andalouse de cet après-midi, l'orchestre de maître El Bhiri ; elle revoit les hajamas, des coiffeurs qui font en même temps serveurs ; elle entend des bruits de toute sorte ; elle avance ne sachant pas précisément ce qui l'attend.

Elle a mal au cœur, a la gorge serrée, les mains moites, elle a peur de paniquer et de s'enfuir comme avait fait sa cousine germaine qui avait pris la fuite quand l'homme avait retiré son séroual et que son sexe s'était avancé comme un bâton. C'est une histoire que la famille raconte en riant. La mère de la fille la rattrapa, lui donna une gifle et la reconduisit à la dakhchoucha sous la garde des négafats.

Non, elle ne va pas s'en aller, elle se laissera faire, attendra que ça se passe, dès que le sang sera sur le drap, elle se lèvera et se cachera derrière les rideaux. Elle rêve de ses poupées confectionnées avec des chiffons et des boîtes d'allumettes. Elle rêve des vacances à Ifrane chez son oncle, elle pense à Ali, le cousin qui la taquine, celui avec lequel elle a joué à la mariée quand elle avait sept ans, elle pense à ses parents, à ce que diront les gens. Elle ferme les yeux et ouvre péniblement les cuisses. Elle serre les dents. Pas un mot, pas un cri. Elle s'évanouit. Elle s'absente ; elle n'est plus là dans cette dakhchoucha parfumée d'eau de rose et de musc, gardée par un commando de négafats, elle est ailleurs, dans des champs de blé, elle saute de terrasse en terrasse, elle vole au-dessus de Fès, elle part vers le bleu du ciel ; elle sent comme une morsure, un pincement, puis sent un liquide chaud couler entre ses cuisses.

Le lendemain c'est le jour du sbohi. Tout s'est bien passé. C'est ce qu'on dit. Le mari a envoyé à sa belle-famille des plateaux pleins de fruits secs : signe de satisfaction.

Ma mère ne m'a pas raconté son mariage. Elle a gardé le mystère ; ce sont des faits qu'on ne raconte pas à ses enfants. Ma grand-mère m'en avait parlé un peu, j'étais petit.

L'après sbohi, après la deuxième nuit, ma mère, comme toutes les jeunes mariées, a été mise à l'épreuve par sa belle-

mère : un porteur livra trois grandes aloses, ce poisson migrateur qui remonte le Sebou au printemps, un poisson aux mille et une arêtes, au goût particulier et connu surtout pour être très difficile à préparer.

Ma mère retroussa ses manches et s'installa à la cuisine où personne ne devait l'aider. Elle a passé toute la matinée à nettoyer les trois poissons et ensuite les a fait mariner dans une sauce faite de coriandre, de cumin, de piment rouge doux et d'un autre légèrement piquant, d'un peu d'ail, de sel et de poivre. Une partie du poisson en tajine, et une autre frite dans une huile légère.

Vers une heure de l'après-midi, les deux plats furent mis dans un tbak et envoyés à la belle-famille. Le tout accompagné d'un grand plateau de dattes grasses dites « dattes ignorées » et d'une corbeille de fruits de saison.

Ce jour-là, ma mère ne mangea pas. Pas d'appétit. Elle attendait le retour des plats. Vers la fin de l'après-midi, une négafat entra à la maison en chantant l'appel au Prophète suivi de youyous. Les plats étaient revenus avec des cadeaux. Enfin, ma mère avait réussi son examen. Sa belle-mère n'avait aucun souci à se faire : son fils serait bien nourri !

Après le septième jour, les familles se retrouvèrent, détendues et contentes. Le mari emmena son épouse vivre dans une petite maison mitoyenne de celle de ses parents.

10

Ma mère a toujours été coquette. Elle n'a jamais porté des couleurs sombres. Elle adore le blanc, le jaune pâle, le beige. Pour elle les couleurs doivent aider le cœur à battre. Il ne faut pas noircir les choses. Une couleur apaisante est une ouverture sur la vie. Elle prenait un soin particulier à choisir ses foulards. Elle en avait une bonne quantité. Je ne me souviens pas avoir vu ma mère les cheveux au vent ou la tête nue. Quand elle était à la clinique et qu'elle dormait, le foulard avait glissé un peu et laissait voir une partie de ses cheveux blancs. J'ai détourné la tête. Elle n'aurait pas aimé montrer ses cheveux.

Ma mère n'aime pas être dans une pièce mal éclairée. Elle réclame la lumière. Elle dit : « La lumière ouvre et apaise les cœurs. C'est signe de réjouissance. C'est signe de générosité. » Un de mes oncles était très économe, disons avare. Quelques bougies auraient suffi pour éclairer sa maison. Il vivait caché, sa femme aussi avait peur de la clarté et de la lumière. Des gens qui ne voulaient pas se montrer en plein jour. Le mauvais œil était leur hantise. Alors ils vivaient dans une semi-clandestinité. Pour eux, le regard des autres ne pouvait qu'être nuisible. Alors pas de lumière. Ma mère n'aimait pas aller chez eux. Elle respectait leurs manies et aussi leurs petites mesquineries. Quand ils venaient chez nous, ils s'étonnaient de voir tant de lumières. Mon oncle disait : « C'est du gaspillage ; on n'a pas besoin de toutes ces ampoules allumées pour se voir ! »

Ma mère n'aimait pas les avares mais elle ne les jugeait jamais. Elle disait : « Chacun vit comme il veut. Je n'ai rien à dire. Je préfère ne pas fréquenter des gens qui pensent que l'argent est plus important que les êtres. L'argent c'est ce que nos ancêtres considéraient comme la mauvaise poussière de la vie, les détritus du temps, alors, que ceux qui le ramassent sachent que dans un cercueil, il n'y a pas de place pour des comptes en banque ! » Elle riait de tout cela et regrettait de ne pas avoir assez d'argent pour vivre mieux.

Ma mère est naïve et n'a pas le sens de l'humour. Elle aime rire mais prend tout au pied de la lettre. Mon père la taquinait. Il maniait l'humour et l'ironie avec brio. Certaines personnes de la famille l'appréciaient pour cette vivacité, d'autres le craignaient et s'en éloignaient. Ma mère n'aime pas les plaisanteries de mon père. Aujourd'hui elle évoque tout cela avec regret : « Ton père n'a pas été juste avec moi ; il m'a fait souffrir mais il n'était pas mauvais. Il a travaillé toute sa vie et n'a pas réussi en affaires comme ses amis. Il était aigri et jaloux de la fortune des autres. Moi je n'aimais pas cette attitude. Il lui arrivait de blesser des gens, ne se rendant pas compte combien ses flèches et ses piques leur faisaient mal. Après il s'étonnait de leur mauvaise humeur ou de la froideur qu'ils manifestaient à son égard. Il disait tout haut ce qu'il pensait. Il ne gardait rien pour lui. Il me mettait dans l'embarras. Certains venaient me rendre visite quand ils savaient qu'il était en voyage. Ils préféraient ne pas l'affronter. Quelle langue ! quelle intelligence mais que vaut cette intelligence quand elle est brutale et sans sensibilité ? »

Mon frère aîné vient la voir deux fois par semaine en fin d'après-midi. Il est très affectueux. Comme elle dit, « il me couvre de baisers ». Il est attentif à sa santé. Lui aussi est malade. Il lui parle de ses maux, de ses problèmes avec ses enfants. Elle l'écoute et ne le juge pas. C'est un homme délicat et cultivé. Un bon musulman, modéré, allergique au fanatisme et aux intégrismes. Cet homme sensible vit retiré. Ma mère n'aime pas son genre de vie. Elle le pense mais ne le dit pas. Elle aurait aimé le voir heureux, généreux, ouvert aux autres et moins angoissé. Mais sa présence la réconforte. Même quand il lui arrive de le confondre avec moi ou avec mon autre frère, elle se reprend et s'en excuse. Elle sait que c'est blessant. Mais personne ne le lui reproche. Nous savons tous que sa maladie lui joue des tours. Quand elle est lucide, elle met les choses au point : « N'allez pas croire que je suis devenue folle ! ce sont tous ces médicaments que je prends depuis plus de trente ans qui m'ont détérioré l'esprit. Calculez : dix pilules environ par jour depuis trente années, ça fait combien ? une tonne ? deux tonnes ? il y a de quoi détruire un bataillon ! alors si je me trompe, si je ne vous reconnais pas immédiatement, ne m'en veuillez pas, c'est l'effet de mes amis-ennemis, car les médicaments m'ont sauvé, en même temps, ils m'ont détruit quelque chose. »

Quand elle était en clinique et que la mort rôdait autour de sa chambre, un cousin suggéra de la ramener chez elle. « Il vaut mieux qu'elle s'éteigne chez elle. » Cette réflexion me rappela un de ses souhaits : « Si je meurs hors de ma maison, je vous demande de ne pas me faire passer la nuit dans le frigo. » Mon père, décédé dans l'après-midi, a passé la nuit dans la morgue. Ce n'est que le lendemain vers huit heures que les ambulanciers avaient ramené son corps à la maison. Cette nuit froide avait brisé le cœur de ma mère. Elle en parlait souvent. J'ai essayé une fois de lui dire que la mort c'est l'absence de toute sensibilité, elle insista pour que son corps, même privé de sensibilité, ne passe pas la nuit dans le frigo. Le jour où nous lui avions annoncé la mort de notre père, elle eut cette réflexion étrange : « Mais où est-il ? » Mon frère lui dit : « À la clinique, dans la morgue. — Tu veux dire le frigo ? — Oui, le frigo, c'est normal. » Elle ne ferma pas l'œil cette nuit-là. Elle s'habilla de blanc, prit son chapelet et se mit à prier. Toute la nuit elle a dû penser à son mari. Je crois même que jamais elle n'a pensé à lui comme elle le fit cette nuit. Elle a dû s'identifier à lui et sentir le froid que lui ne sentait pas. Elle s'est mise à sa place, dans cette chambre glaciale, a eu des tremblements et des nausées. La mort ce n'est pas seulement l'absence de sensibilité, c'est aussi la pensée du néant, ce qui n'est plus là et ce qui s'approche de nous de manière irrémédiable. Depuis cette nuit, sa hantise est de ne pas entrer dans le frigo.

11

Elle avait à peine seize ans quand elle tomba enceinte. Sidi Mohammed l'apprit par sa mère qui le convoqua pour lui annoncer la bonne nouvelle : Lalla Fatma attend un bébé, que Dieu fasse que ce soit un garçon, enfin, si c'est une fille, je serai aussi heureuse, mais ton frère aîné n'a que des filles, j'ai hâte de voir ton fils, Lalla Fatma est une excellente graine, que Dieu la protège et lui facilite l'épreuve de la grossesse, elle n'a que des qualités, elle fait des tajines succulents, es-tu heureux mon fils ? Oui, ma mère, je suis très content, c'est vraiment une fille de bonne famille, des gens comme ses parents sont exceptionnels.

Au septième mois de grossesse, Sidi Mohammed tomba malade. Son teint devint jaunâtre, il maigrit, avait souvent de fortes fièvres, il ne sortait plus. L'infirmier Drissi vint à son chevet. Il n'arriva pas à dissimuler son désespoir ; il est entre les mains de Dieu, c'est un mal qui court dans le pays, j'espère me tromper, je lui ai fait une bonne piqûre, il va dormir ; ne le réveillez pas. À demain, Dieu est clément !

Ma mère pleurait. Toute la famille était là. Quand Sidi Mohammed se réveillait, il était hébété, avait les yeux vitreux et s'exprimait avec difficulté. Le pire était qu'on entendait plusieurs fois par jour des chants funéraires accompagnant des personnes décédées. L'épidémie du typhus s'était répandue. L'infirmier Drissi travaillait sans relâche. Un autre infirmier, Skalli, passait dans les maisons et distribuait des pilules blanches. Les laveurs de morts travaillaient jour et nuit.

Drissi conseilla de séparer Lalla Fatma de Sidi Mohammed, le temps de l'accouchement. Ma mère refusa de quitter sa maison et son mari. Lalla Radhia, la sage-femme, l'obligea à la suivre. Touria naquit au moment où son père rendait l'âme. Il ne la vit pas. Ma mère pleurait tout le temps. Quelqu'un avait même osé dire que cette femme portait malheur. Ma mère ne quitta pas la maison de ses parents. Ce fut sa mère qui s'occupa de Touria les premiers mois. Elle a été allaitée en même temps que la petite sœur de ma mère.

Sidi Mohammed fut enterré au cimetière El Guebeb. Il avait à peine vingt et un ans. Ma mère allait le vendredi sur sa tombe et lui parlait : Touria te ressemble, elle a tes yeux, elle a ton teint, elle a ta douceur ; c'est Dieu qui l'a voulu, on n'y peut rien ! je prie tous les jours pour que tu sois sur la route du paradis, pour que tu me pardonnes si un moment d'égarement j'ai manqué à mon devoir, à présent je prie Dieu pour que ton enfant grandisse dans la bonne santé et dans la joie. Je m'en vais déposer un don à Moulay Idriss, que les compagnons de notre prophète t'accueillent comme tu le mérites ! Grâces soient rendues à Dieu !

« Je n'ai pas peur de la mort, aime-t-elle répéter. La mort est un droit que Dieu nous donne pour clore notre vie. Je n'ai pas à discuter la volonté divine. La maladie, c'est autre chose, la maladie c'est une mort pleine de lâcheté. Elle tourne autour de nous, s'en prend à une partie de notre corps, le torture, le prive de ses capacités naturelles, puis voyage, s'en prend à un autre membre de ce corps, fait des ravages, donne des douleurs, et s'attaque pour finir à la tête. Moi, ma peur ne vient pas de la mort, ma peur c'est de voir dans votre regard ma douleur, c'est de vous voir pliés de douleur parce que je souffre, rongée de l'intérieur. Cela, je ne le supporte pas. Je suis croyante, je suis soumise à Dieu et je suis heureuse qu'il me rappelle à lui. Mais j'ai un souhait : que vous soyez tous là et que vous ne souffriez pas. «

Ma mère n'a jamais entendu parler d'une maison où on se débarrasse des vieux. Elle ne s'imagine pas une seconde qu'un de ses enfants puisse la rejeter et l'exiler quelque part. Qu'on l'appelle « asile », « hospice », « maison de repos » ou « lieu de retraite », c'est un débarras. J'ai été impressionné par un film japonais où on transporte en haut d'une montagne enneigée un vieillard en vue de hâter sa mort. Je crois que c'est une tradition qui relève d'un excès d'orgueil de la part des personnes âgées qui refusent de constituer une charge encombrante pour leur progéniture. Les vieux réclament cet exil en compagnie des oiseaux de proie. On les installe dans les cimes et on rentre à la maison, un peu léger, un peu mélancolique. Dans un pays où le suicide est fréquent, où le sens de l'honneur est exacerbé, les personnes âgées ont pris de l'avance sur l'éventuelle, la probable mesquinerie de leurs enfants. Elles s'en vont avant qu'on se lasse d'elles. Théoriquement, c'est assez séduisant, mais quand il s'agit de passer à l'acte, c'est assez monstrueux. C'est une forme encore plus perverse d'euthanasie. Dès qu'une personne perd ses capacités productives et intellectuelles, il faut qu'elle laisse la place aux plus jeunes.

Au Maroc, on nous apprend, en même temps que l'amour de Dieu, le respect quasi religieux des parents. La pire des choses qui puisse arriver à un être est qu'il soit renié par ses parents. Refuser sa bénédiction à un enfant, c'est l'exiler dans un espace sans pitié, c'est l'abandonner, le jeter comme un objet sans valeur, c'est lui retirer toute confiance et surtout lui fermer la porte de la maison, la porte de la vie et de l'espoir. C'est une humiliation et un isolement sévères. Nous vivons dans la crainte d'être un jour privés de la bénédiction parentale. C'est un symbole apaisant, une tradition qui nous rassure. Nous devons à nos parents cette soumission qui peut paraître ridicule ou inadmissible psychologiquement en Occident. J'ai toujours baisé la main droite de mon père et de ma mère. Je n'ai jamais osé fumer devant eux. Je n'ai jamais crié ou prononcé des mots grossiers devant eux. C'est une éducation, une façon d'être avec ceux qui nous aiment. Cela n'empêche pas les conflits et les problèmes, mais avant tout, c'est l'amour qu'on cultive. De leur part cet amour peut être excessif et possessif. Il peut être énervant et étouffant. Mais cela n'autorise pas le manque élémentaire de respect, un respect qui veut dire de l'affection et une sorte de soumission irrationnelle. Cela s'appelle l'amour filial. C'est un lien qui ne supporte aucune comptabilité. On le vit comme un don de la vie et on fait tout pour en être digne et fier.

Quand on aime ses parents, on ne s'en débarrasse pas. Je me souviens d'une scène d'un film à sketches italien où Alberto Sordi sort sa vieille mère dans sa nouvelle voiture dont les sièges sont encore recouverts de cellophane, lui achète une glace et lui promet une belle promenade. Devant tant de sollicitude elle se montre inquiète, n'étant pas habituée à être traitée avec tant de gentillesse par un enfant égoïste et assez monstrueux. Elle comprit qu'il l'emmenait dans un hospice pour vieillards. Ce qu'il fit avec un cynisme souriant et cruel. Ce fils indigne partit avec une petite mauvaise conscience, une tristesse qui ne dura pas plus d'une minute. Nous autres spectateurs, nous avions le cœur serré. Je m'étais identifié à la pauvre vieille ; j'avais les larmes aux yeux. J'essayai ensuite de me mettre à la place du fils, j'eus la nausée. Et pourtant cette scène est devenue ordinaire, banale en Occident. On ne s'en offusque plus ; on vit avec et on s'en prend au manque d'espace, au manque de temps. On se réfugie dans l'égoïsme tranquille, celui que ces mêmes parents transmettront à leurs enfants ; la roue continuera de tourner dans l'éternel retour d'une modernité qui a sacrifié les personnes âgées tout en travaillant à allonger leur espérance de vie. Ce paradoxe est le résultat inévitable d'une société où les seules valeurs célébrées et protégées sont les valeurs marchandes.

Le Maroc, qui a subi des influences du mode de vie européen, résistera. Il ne construira peut-être pas des asiles pour vieillards. Un jour, probablement lointain, un jeune et dynamique promoteur immobilier construira un ensemble de petites maisons pour les personnes âgées. Il présentera la chose avec brio : nos parents méritent qu'on s'occupe d'eux, pas n'importe comment, on ne va pas leur donner un lit dans la chambre des enfants, ils méritent confort et tranquillité, ils seront en paix dans ces appartements conçus spécialement pour des personnes qui désirent vieillir en paix, ce qui ne veut pas dire qu'on va les oublier, jamais, je suis un enfant qui ne réussit que parce qu'il a reçu la bénédiction de ses parents, non, on va s'en occuper, une infirmière diplômée leur rendra visite, un médecin expérimenté aussi, nos parents auront tout à leur portée, ils passeront les dernières années de leur vie dans des conditions de confort moral et matériel fantastique...

Il se trouvera quelques mauvais fils pour croire à ce discours, la mode et l'égoïsme feront le reste.

12

J'ai profité un matin de sa lucidité pour demander à ma mère ce qu'elle pensait de cette pratique :

— Tu veux dire que je n'habiterai plus chez moi ?

— Tu seras dans une maison où des gens qui ont été formés s'occuperont de toi. Tu ne manqueras de rien. Tu auras tes médecins tout près de toi, ton infirmière et tes enfants viendront te voir de temps en temps.

— De temps en temps ? ça veut dire que l'heure sera comptée. J'aurai avec moi Keltoum, celle qui me tient compagnie depuis quinze ans ?

— Non, elle n'est ni malade ni trop âgée.

— Et pourquoi partirai-je d'ici ? Vous avez l'intention de vendre cette maison ? C'est ça, vous êtes pressés d'hériter.

— Non, je plaisante, je voulais juste te dire que dans d'autres pays, en France ou en Espagne, on installe les personnes âgées dans des maisons spéciales. Je savais que tu allais réagir ainsi.

— Ma maison me suffit ; je n'ai pas besoin d'une maison spéciale. Je ne la quitterai jamais. De cette chambre j'irai à la tombe et là vous ferez ce que vous voudrez, vous pouvez même démolir cette maison ou en faire un immeuble. Moi, j'y suis bien et j'y reste.

Ma mère ne plaisantait pas. Même quand elle était en bonne santé, elle n'acceptait qu'avec beaucoup de réticence d'aller passer quelques jours chez sa fille à Fès ou chez son fils à Casablanca. L'attachement à la maison est fort. Il est le symbole d'un enracinement essentiel et indiscutable. Quelles que fussent les difficultés financières de mon père, il avait toujours tenu à posséder sa maison. On peut avoir faim mais on ne doit pas être dans la rue, sans toit. À Fès, à l'époque de mon enfance, tout le monde devait posséder sa maison. Ceux qui louaient étaient des gens de la campagne, pas des citadins. Je me souviens qu'on louait une partie de notre maison de Makhfiya à des gens de Fasjdid, les environs de Fès. Un drap étendu séparait les deux familles. Nous habitions le rez-de-chaussée et eux l'étage et la terrasse. La maison était grande. Nous faisions attention pour cohabiter sans trop de problèmes. Nous étions pauvres et nous n'étions pas en mesure de refuser l'argent de cette location. C'était mal vu dans les familles bourgeoises, mais mon père n'avait aucune honte à reconnaître que nous étions des gens modestes et même pauvres.

Hier, pour la première fois, ma mère ne m'a pas reconnu au téléphone et surtout a déliré copieusement. Elle me prit pour son frère cadet, Moulay Ali, mort il y a vingt ans. Elle était véhémente :

— T'as pas honte Moulay Ali ? ta sœur est malade et tu n'es jamais venu la voir ! où es-tu ? Tu te caches ! c'est encore ta femme qui commande et elle ne veut pas te laisser venir me voir. C'est pas bien.

— Mais yemma, je suis ton fils, Tahar !

— Non, Tahar est parti marier sa fille. Il n'est pas au Maroc. Et toi, qui es-tu ? Ah, tu es Mostafa, le fils qui est parti et m'a abandonnée...

— Non, yemma, Moulay Ali est mort il y a longtemps.

— Ah bon ! Il est mort et on ne me l'a pas dit ! ce n'est pas gentil.

Son veuvage ne dura pas longtemps. Son oncle Sidi Abdesslam parla avec son père. Elle est si jeune, si innocente, toute belle, et ses mains sont un trésor, elle ne doit pas rester cloîtrée chez toi, il faut qu'elle sorte, qu'elle accompagne sa mère aux mariages où elle est invitée, c'est là qu'on la remarquera. L'autre jour j'ai reçu la visite de Sidi Abdelkrim, un homme de bien, il est marié mais sa femme est malade, il a quatre grands enfants avec elle, mais il est encore en pleine force de l'âge, il m'a prié de t'en parler, il serait ravi et heureux que tu lui accordes la main de Lalla Fatma ; je sais, tu vas me dire qu'il pourrait être son père, qu'elle va devoir vivre et peut-être même s'occuper de la malade, mais je te dirai bien au contraire, elle est jeune et belle, elle sera la préférée, il n'y aura qu'elle, l'autre, la pauvre, est si malade qu'elle ne sait même pas où elle se trouve. Les garçons sont grands, ils sont tous commerçants et s'occupent des biens de Sidi Abdelkrim. Qu'en penses-tu ? Que dois-je répondre ?

Ce fut ainsi qu'elle se remaria ; cérémonie discrète, pas de fête. Les deux familles se réunirent dans la grande maison de Sidi Abdesslam. Les adouls écrivirent l'acte de ce nouveau mariage sur le même papier.

Après la mort de Sidi Mohammed, que Dieu l'ait en sa bénédiction et sa clémence, après la fin de la période d'attente et du deuil, après consultation entre les familles, Moulay Ahmed accepte de donner en mariage veuve Lalla Fatma à Sidi Abdelkrim, déjà marié et ayant quatre enfants, le sadaq de cinq mille rials a été remis au père de la mariée ; d'un commun accord, il n'y aura pas de festivités pour ce mariage ; veuve Lalla Fatma rejoindra la maison du nouvel époux à partir du moment où cet acte aura été enregistré. Que Dieu le Tout-Puissant les protège et leur accorde sa bénédiction.

Fatha.

Amen.

Elle changea de quartier et mit du temps à s'adapter à sa nouvelle vie. Elle pensait tout le temps à son premier mari et priait Dieu pour que sa vie ne soit plus guettée par le malheur.

Sidi Abdelkrim la traita comme une princesse. Il était aux petits soins avec elle, mit à sa disposition deux domes-

tiques et lui demandait de ne pas se fatiguer ni d'aller dans les cuisines où régnait Ghita, la cuisinière noire que le père de Sidi Abdelkrim avait ramenée du Sénégal vers 1915.

De nouveau enceinte, elle se laissait choyer et ne faisait pas trop d'efforts. La vie se déroulait tranquillement. L'autre épouse lui témoigna de la sympathie et lui donna des conseils pour bien plaire et toujours satisfaire Sidi Abdelkrim. Ma maladie m'a clouée dans ce lit, je ne bouge presque plus, heureusement que Ghita s'occupe bien de moi ; je ne pouvais pas laisser la maison à l'abandon, tous les matins elle vient ici prendre mes directives. Tu sais, je t'aime bien, tu es une fille de très bonne famille, je te remercie d'être là, d'avoir accepté d'épouser un homme plus âgé que toi et surtout déjà marié ; c'est moi qui lui ai demandé de trouver une autre épouse, c'est notre religion qui l'exige, c'est la charia, je lui ai dit, mon cher, mon Sidi Abdelkrim, tu ne peux pas rester sans femme dans ton lit, Dieu t'autorise à prendre jusqu'à quatre femmes, il faut absolument que tu te remaries, si j'étais en bonne santé, je ne te l'aurais pas demandé, mais là, je ne te sers à rien, je suis là comme une vieille chose inutile, mes enfants ont grandi, que Dieu les garde en sa bénédiction, ils ne seront pas opposés à ce remariage ; prends une femme, une veuve ou divorcée, le typhus a tué beaucoup de jeunes gens, il doit bien y avoir une jeune et jolie veuve pour rejoindre la couche de mon cher mari !

Tu sais, il m'a baisé les deux mains puis s'en est allé en parler avec ton oncle. Je te dis sois la bienvenue, et que tu nous apportes le bien et la santé qui nous ont fait défaut il y a quelque temps. Tiens, peux-tu m'aider à m'asseoir ? Prends ma main, tire, doucement, c'est bien, mets ce coussin derrière, il faut que mon dos soit calé, sinon je souffre, j'ai tous mes muscles qui me font mal, j'ai du mal à bouger la main et encore moins les doigts, d'habitude c'est Ghita qui s'occupe de moi, fait ma toilette, me donne à manger comme à un bébé... je suis contente d'avoir de la compagnie, dis-moi fais-nous un beau garçon, dépêche-toi, la maison a besoin de fraîcheur et du rire d'enfants. Mes grands fils sont mariés, ils viennent me voir tous les jours ; leurs épouses traînent les pieds, elles n'aiment pas cette maison, ce qui fait que je vois rarement mes petites-filles.

Cette maladie, personne ne sait comment l'appeler. L'infirmier Drissi m'a dit que c'est une sorte de rhumatisme, c'est à cause du froid et de l'humidité de Fès. Longtemps j'ai travaillé comme une esclave, j'ai perdu ma santé dans cette immense cuisine, mon mari, notre mari, que Dieu le garde, aime recevoir, il invite souvent des amis à déjeuner et il me prévient le matin même, tu imagines la difficulté, il fallait faire vite, courir par là, ne pas oublier de faire le pain, Ghita m'aidait, mais mon homme insistait pour que je fasse moi-même à manger, il me disait tes mains font des merveilles, ne nous prive pas de ce qu'elles savent si bien faire.

Mais dis-moi, de quoi est mort ton mari ? De ce mal dont je ne veux pas prononcer le nom dans cette maison bienheureuse. Il a été emporté en quelques semaines. Je le voyais dépérir jour après jour. Seuls ses grands yeux très noirs étaient intacts. J'étais enceinte, j'avais des nausées, je ne me sentais pas bien, et puis je me disais que mon arrivée dans cette famille n'a pas empêché le malheur d'y entrer. Je ne dormais pas, je passais mon temps à pleurer. Lorsque ma fille est née, ma mère me l'a prise ; j'étais trop faible, trop malheureuse pour m'en occuper. Je la lui ai laissée. Ma petite sœur n'a qu'un an de plus qu'elle. C'est ma mère qui l'allaite. C'est comme si je n'avais pas eu d'enfant.

Sidi Abdelkrim était très attentif avec sa nouvelle épouse. Il lui interdisait de mettre les pieds dans les cuisines, lui disait je ne voudrais pas que ces jolies petites mains soient abîmées par le travail, tu es ma princesse, ma gazelle, un don de Dieu, je te voudrais heureuse, je sens que ton corps change, porte-t-il un autre don de Dieu ? Je l'espère.

Elle accoucha d'un garçon ; sept jours de festivités. L'épouse malade pleura de joie. Il fut nommé Abdel Aziz. Le père voulait l'appeler Abdel Razzak, pour rappeler que ce don de Dieu était précieux.

Ma mère croit avoir eu des jumeaux ; elle parle de Hassan et Houcine. Son fils Abdel Aziz en rit et lui rappelle qu'elle confond avec sa cousine qui eut effectivement des jumeaux la même semaine.

À présent elle réclame son mari, mort il y a plus de cinquante ans. Elle dit qu'elle a besoin de lui parler. On lui dit qu'il n'est plus de ce monde. Ah, bon ! on me cache des choses !

Abdel Aziz grandit dans cette maison immense entre une mère trop jeune et une belle-mère souffrante. Dès qu'il fut en âge d'aller à l'école, son frère aîné le recueillit et l'installa chez lui. Son père, âgé et malade, ne sortait plus. L'infirmier Drissi ne quittait presque plus la maison. On a fait venir Hammad, le cousin aveugle connu pour bien réciter le Coran. Dans la famille, on savait que l'arrivée de Hammad précédait de peu celle de la mort. Sidi Abdelkrim s'éteignit dans son sommeil. Deux mois plus tard son épouse mourut en poussant des cris de douleur.

De nouveau veuve, ma mère s'en remit à Moulay Idriss dont elle visitait le mausolée tous les jeudis. Elle lui apportait des offrandes, restait des heures à prier et à réclamer à Dieu sa miséricorde et sa grande clémence. Elle revint vivre chez ses parents où elle retrouva sa fille âgée alors de huit ans. Plus question de se remarier, persuadée d'être porteuse de malheur, victime du mauvais œil et de la fatalité. Elle regardait le ciel, suivait les étoiles et leur parlait.

13

Ce matin elle est souriante, a réclamé un miroir et du rouge à lèvres. Vite, vite Keltoum ils viennent tous les trois déjeuner. Ils se sont rencontrés chez Moulay Idriss, à la prière de vendredi et ont décidé de venir manger un tajine de mrouziya, je suis spécialiste de ce plat, vite Keltoum apporte-moi la marmite, as-tu fait mariner la viande, n'oublie pas les sept épices, il est tard...

Keltoum lui demande par curiosité quelles sont ces personnes invitées à déjeuner ; mais ce sont mes trois maris, oui, mes trois hommes, ils sont là, à Fès, après la prière de midi, ils arrivent et la maison n'est pas prête, je suis inquiète, j'ai honte, rien n'est prêt, comment vais-je faire, que leur dire ?

Heureusement elle oublie juste après. Elle reprend le fil normal de sa vie, réclame ses médicaments, proteste contre la lenteur de Keltoum, ajuste ses habits et se met à regretter le temps où elle était élégante et belle. Puis, poussée par le démon, elle entre dans une autre confusion :

— Hier soir, avant de dormir, j'ai ouvert ma valise et j'ai compté mes robes et caftans. Il y en avait sept. Je les ai mis là, à côté de l'oreiller. Je voulais dormir en sachant que mes biens sont là, à portée de la main. Le matin, ils avaient disparu. Oui, disparu. Je suis entourée de gens mauvais, de voleurs. Il n'y a plus trace de mes robes et caftans. Keltoum a dû les vendre au marché aux enchères, c'est comme les médicaments, surtout ceux qui coûtent cher, elle les vole et les revend. Je n'ai pas de preuve mais je connais la rapacité de ces gens de la campagne. Ils ne sont jamais rassasiés. Ils sont jaloux. Tu vois, mon fils, dès que tu t'en vas, elles font ce qu'elles veulent ; elles me laissent là, toute seule, je crie, je crie et elles ne répondent pas. Je ne peux rien leur dire. Pour un oui ou pour un non, elles sont capables de laisser tomber et de partir. J'ai peur de ça. Toi, tu me comprends, fais quelque chose pour qu'elles ne m'abandonnent pas. Bon, où sont passées mes chaussures ?

— Mais yemma, ton pied est malade, il porte un pansement et ne peut pas entrer dans une chaussure.

— Non, je voudrais voir si mes chaussures n'ont pas été vendues.

— Personne n'a rien vendu.

— Ah, bon ! je suis fatiguée. Alors donne-moi un peu d'argent pour acheter... qu'est-ce que je dois acheter ? j'ai oublié. Mon Dieu, ma mémoire est foutue, j'oublie tout. Ton père me taquinait et me disait que j'étais incapable de me rappeler ce que nous avions mangé au dîner de la veille. Il exagérait, mais il m'arrivait de ne pas bien me souvenir des choses.

Keltoum n'a pas réussi à assouvir sa curiosité. L'après-midi, au moment du thé, elle lui pose la question : c'est vrai que tu as eu trois maris ? Je ne sais pas. J'ai mal au pied, j'ai besoin de calmant et toi tu me parles de mariage, non, j'ai décidé de ne plus me marier.

Ne plus me marier ; ne plus me marier...

Le Diwane est le cœur de la médina de Fès. C'est là que tous les commerces sont rassemblés. C'est là que Moulay Abdesslam, l'oncle de ma mère, rencontrera mon père et deviendra son meilleur ami.

Mon père importait les épices en gros ; des caisses et des sacs de jute arrivaient sur dos de mulets dans le Diwane. Des sacs de graines de coriandre, du cumin d'Afrique, du safran d'Espagne, du gingembre d'Asie, du piment doux, du piment piquant, du poivre blanc, du poivre noir, du thé de Chine, thé vert, thé noir... Moulay Abdesslam, qui vendait des babouches, aimait venir sentir les épices ; il aidait mon père à ranger la marchandise tout en bavardant. Ce fut ainsi qu'il apprit que mon père n'était pas content ni heureux avec sa femme qui n'arrivait pas à lui donner d'enfants.

— Mais il te faut une femme, une vraie, une femme qui a déjà eu des enfants !

— Pas facile, Moulay Abdesslam, ma mère qui aurait pu me chercher une nouvelle épouse n'est plus de ce monde, hélas, alors je souffre en silence.

— Il faut absolument remédier à cela, mon cher ami !

— Comment ?

— Laisse-moi faire, je ne te dis rien pour le moment, je vais d'abord m'informer et je te tiens au courant.

Ce fut ainsi que Moulay Abdesslam convainquit son frère, lequel devant convaincre sa femme, laquelle devait parler à ma mère pour qu'elle accepte de devenir la deuxième épouse d'un brave homme, commerçant d'épices et de bonne famille.

Je ne sais pas lequel des quatre personnages eut l'idée de poser la condition majeure pour que le mariage ait lieu : d'accord pour le mariage à condition qu'il divorce avec la première femme dès que Lalla Fatma tombe enceinte !

Accord conclu. Petite dote. Petite fête. Cohabitation avec la première épouse, persuadée que le mari est stérile. Une nuit chez l'une, une nuit chez l'autre jusqu'au jour où des youyous retentirent dans la maison : ma mère est enceinte, elle a eu ses premières nausées, ses premiers caprices et envies, elle est devenue reine, l'autre s'en alla d'elle-même, mon père lui adressa « sa lettre » c'est-à-dire sa répudiation. La maison devint grande, immense, mon père, très attentionné, ne rentrait jamais les mains vides.

Les commerçants du Diwane apprirent la nouvelle : Si Hassan attend un enfant et sa première femme cherche un mari. Maalem Zitouni, le boucher du quartier Rcif, en avait assez de son célibat. Une jeune divorcée ne fera pas la fine bouche. Pas fréquent ni facile d'accepter la couche d'un boucher qui quoi qu'il fasse sentira toujours la graisse et le sang. Moulay Abdesslam accepta de faire l'intermédiaire. Grand mariage, grande fête, bonne dote.

Pendant ce temps-là ma mère accouchait d'un garçon.

Fès souffrait de la Grande Guerre ; l'huile, le sucre, la farine étaient rationnés ; les épices se vendaient mal ; la vie quotidienne était difficile, mais mon père était le plus heureux des hommes. Sa jeune épouse attendait un deuxième enfant. Il disait cet enfant viendra avec la paix, il n'y aura plus de guerre, j'en suis sûr !

Je suis venu au monde quelques mois avant la fin de la guerre.

La femme du boucher accoucha de jumelles.

14

Je me suis souvent demandé s'il y avait de l'amour entre elle et mon père. De l'affection, oui. De l'amour passionnel avec des déclarations romantiques, des cadeaux, des fleurs et des mots tendres, non. Ils s'agaçaient l'un l'autre. Mon père répétait tout le temps que sa femme ne le comprenait pas, qu'elle le contrariait, l'énervait et ne le respectait pas. Ma mère, moins vindicative, lui reprochait son manque de générosité, son agressivité et son absence de tendresse. Ils se disputaient souvent, très souvent. Ma mère pleurait, nous prenait à témoin, réclamait notre soutien, voire notre protection. Mon père râlait et se disait être « seul dans son parti, et que nous, nous étions dans le parti de notre mère ! ». Il n'y avait pas de méchanceté ni de violence physique. Il y avait surtout de l'incompatibilité d'humeur. Trop de décalage entre eux. Il la traitait d'ignorante, d'analphabète. Elle ne savait ni lire ni écrire. Elle avait appris deux numéros de téléphone, dont celui de la boutique de mon père. Elle le faisait automatiquement. Il se moquait d'elle. Il était très ironique. Elle tombait dans ses pièges et lui s'en amusait. Alors elle le boudait. Lui ne comprenait pas pourquoi elle ne lui parlait plus. Il essayait n'importe quoi pour rendre les choses à leur place. Le silence, c'était l'arme de ma mère. Dès qu'il tombait malade, une grippe ou une digestion difficile, elle s'affolait, nous appelait. Elle était facilement inquiète. Après sa mort, elle a observé le deuil dans les règles. Je soupçonnais un léger soulagement chez elle. Bien sûr elle n'en parlait pas, ne laissait rien apparaître. De temps en temps, elle évoquait sa mémoire et rappelait que c'était un brave homme, un homme bon qui n'avait pas eu de chance dans sa vie professionnelle.

Mes parents étaient des gens simples qui étaient en harmonie paisible avec les traditions ancestrales où l'on ne manifeste pas publiquement ses émotions et sentiments. Ils étaient l'un et l'autre pudiques et n'avaient pas l'habitude de mettre leur tendresse dans les mots.

Mon père avait tendance à être anarchiste, à être provocateur, parce qu'il détestait l'hypocrisie sociale ou religieuse. Ma mère était plus diplomate. Elle passait son temps à réparer les dégâts que provoquaient certaines réflexions de mon père. Elle était aimée pour cela et respectée pour son sens de la mesure. Elle ne disait jamais de mal des autres. Même quand elle a été trahie par des femmes qui travaillaient chez elle ou en conflit avec ses cousines ou voisines, elle s'en remettait à Dieu et le chargeait de rendre justice. Cette fatalité, cette sérénité et cette bonté la mettaient à l'abri des médisances. Personne ne disait du mal d'elle. On dit qu'elle a hérité de son père cette bonté. Ce n'était pas le cas de mon père qui n'avait pas sa langue dans la poche. Il ne ménageait personne, ni les vivants ni les morts, ni les proches ni les lointains. Cela l'occupait et l'amusait de ne rien laisser passer. Il avait un grand cahier où il notait tout : les naissances, les baptêmes, les circoncisions, les mariages, les décès et surtout le prix des choses. En le feuilletant, on apprenait l'histoire de la famille et l'état de l'époque. Ce cahier, riche en détails et réflexions parfois acerbes, était redouté par certains oncles et cousins. Les femmes ne pouvaient pas cacher leur date de naissance ni exagérer le prix d'achat de leurs bijoux. Il savait tout et ne se privait pas de l'écrire. J'appris ainsi que mon père avait tout tenté pour avoir des enfants avec sa première femme. À l'époque il n'y avait pas de médecin installé dans la médina, juste un infirmier qui faisait fonction de docteur. Il soignait tout le monde. On lui faisait confiance et on s'en remettait aux mains de Dieu quand les choses devenaient graves ! L'infirmier Drissi lui a dit que Dieu ne voulait pas de cette liaison, ce mariage était une erreur, il pouvait répudier cette femme et lui donner sa chance. Ce fut à ce moment-là qu'il en parla avec Sidi Abdesslam.

Tout était consigné dans le grand cahier : la discussion avec l'oncle de ma mère, les hésitations, la condition primordiale... : « J'ai vu ce matin Sidi Abdesslam, un homme bon, gros et plein de bonne volonté. Je me suis confié à lui. Mon épouse est stérile. Cela fait plus de deux ans de mariage et son ventre est toujours vide. La vie n'a pas de sens sans enfants. Je suis d'une famille de sept enfants, cinq garçons et deux filles. Sidi Abdesslam m'a dit le plus grand bien de Lalla Fatma, sa nièce. Je ne sais pas comment elle est, si elle est difficile, capricieuse, si elle est douce et obéissante. Je ne supporte pas les femmes rebelles. C'est ainsi. Je le lui ai déjà signalé, il m'a rassuré. Lalla Fatma est une femme d'une très bonne famille, bien éduquée, son père est un homme respecté et aimé. Ce ne sont pas des gens riches. Qu'importe ! J'espère que l'affaire sera conclue très vite. »

Que de fois j'ai essayé de savoir comment les choses s'étaient passées. Impossible. Manque de mémoire ou refus de dévoiler certains faits. Aujourd'hui, ma mère se moque pas mal de cette période. Elle préfère me parler de son premier époux, celui mort quelques mois après leur mariage. Quant au deuxième, celui qu'elle appelle « le vieux », elle raconte ses escapades, ses fugues : « J'étais une gamine. Ma mère élevait ma fille Touria en même temps que ma petite sœur Amina. Je ne me préoccupais pas de ce qui se passait à la maison. Dès que j'en avais l'occasion, je m'échappais, je partais rejoindre mes parents. Mon père me prenait par la main et me ramenait chez le vieux. Il n'osait pas me gronder, sachant que la différence d'âge était énorme. J'eus un fils avec cet homme. Après quelques mois, il mourut de vieillesse, et je me retrouvai de nouveau veuve et assez soulagée. Je n'avais pas de mauvais sentiments à son égard, mais je ne comprenais pas ce que je faisais chez lui. Je suis restée seule quelques années, peut-être un an, je ne sais plus et mon oncle Sidi Abdesslam est venu me proposer de me remarier. Je savais que derrière la démarche de mon oncle il y avait mon père. Je ne pouvais pas dire non. À l'époque ça ne se faisait pas. J'ai épousé ton père sans l'avoir vu. C'était comme pour les deux maris précédents. On se mariait sans se connaître, sans se voir. C'était une sorte de loterie, une surprise. Ton père était au début tout miel, tout doux, surtout quand il apprit que j'étais enceinte. Il renvoya l'autre, je me retrouvai avec un homme plein d'attention et de gentillesse. Voilà, ça s'est passé comme je te dis, sans problème, sans bruit. Plus tard, notre relation connaîtra des moments difficiles. Tu les as connus. Allez, va, oublions tout ça. »

Ma mère a fait venir un plombier et un électricien. Elle leur a demandé de revoir toute l'installation. Le robinet du lavabo a été changé. Des ampoules ont été remplacées. Tout est en ordre. La maison est propre. Les murs repeints. Un lustre en mauvais état pend au milieu du salon. Ma mère ne l'a pas remarqué. Il est couvert de poussière. Toutes ses ampoules sont mortes depuis longtemps. On a fini par ne plus le voir. C'est une relique de l'époque où mon père achetait des bricoles au marché aux puces. Ce lustre n'a aucune valeur. On pourrait s'en débarrasser, le jeter ou le donner aux éboueurs. Encore faut-il le décrocher, trouver une échelle, desserrer les fils qui le tiennent. Il vaut mieux l'oublier.

Le plombier et l'électricien, c'était en vue de préparer la maison à recevoir toute la famille le jour des funérailles. Ma mère est obsédée par cette cérémonie. Je ne m'étonne plus quand je l'entends me dire que la réception devra être magnifique : « C'est la dernière fois que je recevrai ma famille, alors autant que ça soit avec faste et élégance ; surtout pas de mesquinerie, de petites économies misérables ; achetez des poulets "beldi", des poulets de ferme, pas ceux bourrés de médicaments pour les faire grossir ; achetez des nappes blanches ; prévoyez des draps pour ceux qui dormiront à la maison, si c'est l'hiver prenez des couvertures ; il faut que tout le monde soit satisfait, faites comme si j'étais là, vivante, présente avec mon sourire et ma joie. J'adore recevoir et bien recevoir. Je sais que tu feras les choses en grand ; je n'ai pas de souci de ce côté-là, mais je vous le dis et le répète : ne me faites pas rougir au fond de la tombe ! »

Depuis quelque temps ma mère ne fait plus la cuisine. Malade, elle s'installait à côté de Keltoum et lui dictait ce qu'il fallait préparer. Aujourd'hui elle a totalement renoncé à se mêler de nourriture. Mais dans son esprit, c'est elle qui cuisine à travers Keltoum. Difficile de lui dire que le tajine est raté ou qu'il y a trop d'épices dans la viande hachée. Elle le prend mal, persuadée que Keltoum est le prolongement de son savoir culinaire. Je n'aime pas la cuisine de Keltoum. Elle est trop grasse, sans finesse. Je refuse de croire que je mange la cuisine de ma mère. Je fais semblant. Je réclame des choses simples : des grillades et des salades. Pour ma mère, manger sa cuisine, c'est l'aimer. Quand il m'arrivait de ne pas terminer mon assiette, elle poussait un soupir et se faisait des soucis. Manger c'est célébrer un lien affectif fort et indéfectible.

Depuis quelques mois, ma mère ne fait plus attention à ce qu'elle mange. Elle se nourrit sans conviction. Elle dit qu'elle mange pour pouvoir avaler ses nombreux médicaments. C'est Keltoum qui connaît le programme de son traitement. Analphabète, elle a ses propres astuces pour repérer les boîtes de médicament et l'heure de leur administration. Elle dit : « La petite pilule rose est pour le cœur, à prendre tous les matins ; les deux blanches sont pour la tension, à prendre avant le déjeuner ; le soir, il y a la boîte verte plus la bleue et un demi-comprimé rouge pour le sommeil. » Ma mère lui fait entièrement confiance. Elle a juste peur que Keltoum tombe malade et se trompe dans les doses ou les oublie simplement.

Ma mère prétend qu'elle ne rêve plus. Elle oublie, c'est tout. En revanche, elle cultive ses hallucinations. Durant plus d'un mois, elle n'a pas cessé de nous raconter l'histoire du moineau qui est venu la nuit à la fenêtre et s'est mis à invoquer les différents noms d'Allah. Ma mère a considéré cette visite comme un signe du ciel et qu'il fallait se préparer à partir. Elle répétait après lui les noms et les prières qu'il chantait. Il serait venu frapper à la vitre et s'adresser directement à elle. Ma sœur Touria confirma cette vision et nous n'avions plus rien à ajouter.

Depuis que Touria a perdu son mari dans un accident de voiture, il lui arrive soudainement de perdre connaissance, de tomber par terre et de s'absenter les yeux ouverts. Le médecin a évoqué l'hystérie. Quand elle se réveille, elle nous rassure : « Ce n'est rien, ça m'arrive souvent, ça vient sans prévenir, comme ça, ça vient de là-haut, de chez Dieu, on n'y peut rien. Même les médecins sont d'accord, il n'y a rien à faire, faut laisser passer ce moment. Au début mes enfants avaient peur, croyaient que j'étais en train de mourir, après ils ont pris l'habitude, je tombe et puis on ne fait même pas attention à moi, c'est ainsi, pas de quoi s'affoler, juste besoin de repos, peut-être de repartir à La Mecque, mais comment ferai-je, partir sans lui, je ne pourrai jamais, on a toujours tout fait la main dans la main, jamais de dispute, jamais de brouille, j'écoutais ce qu'il disait et lui de même. On s'entendait comme si nous étions faits de la même étoffe. En vérité, je n'arrive pas à vivre sans lui, même si mes enfants m'entourent et sont attentionnés à mon égard. Bon, il faut oublier et faire semblant de vivre. »

Ma mère se rappelle que sa fille a de plus en plus souvent des comportements étranges : « Ça s'est aggravé avec la mort de son pauvre mari. Il m'aimait comme sa propre mère. C'était un homme bon, généreux et droit, un peu rigide. Quand il disait non, c'était définitif. Quelle catastrophe cette mort brutale et si cruelle ! C'était écrit. Il est mort sur le coup. Un camion est sorti de la file des voitures et s'est jeté sur lui... S'il avait accepté de différer son départ au lendemain, le camion se serait jeté sur une autre voiture. Que Dieu me pardonne. C'était écrit depuis le jour de sa naissance. Il était têtu. Il m'aurait écouté, il ne serait pas mort. Ô mon Dieu ! pardonne-moi, je délire, tout est entre tes mains, la vie, la mort, la joie, les larmes, tout, nous ne sommes rien sur cette terre. Il faut que je prie. Je n'ai pas fait mes ablutions. Où est passée la pierre polie pour les ablutions ? On me vole tout. On me dépouille de mon vivant. Même l'autre, elle m'a pris mes boucles d'oreilles en or ainsi que la chaîne avec un pendentif. C'est incroyable la rapacité des gens. Que Dieu nous donne assez de sa bonté et de ses biens pour ne pas être mesquin. Où en étais-je ? Ah ! ma mère est à Fès et refuse de prendre la route pour venir me voir. Mais où sommes-nous ? Dans quelle ville habitons-nous ? Tu dis Tanger ? Mais Tanger c'était une autre époque, je n'étais pas encore mariée, je confonds tout. Ma mère me laisse tomber ! Tout de même, je suis sa fille et elle préfère rester chez ma petite sœur. Elle a toujours eu une préférence pour Amina. Son mari est riche. Moi qui suis l'aînée, elle me néglige. Ce n'est pas bien. »

Durant toute la journée elle a appelé sa fille « yemma ».

Au téléphone ma mère me reconnaît sans difficulté. La voix doit être mieux inscrite dans la mémoire que le visage. En fait il lui arrive de me confondre avec l'un de mes frères. L'autre jour elle a trouvé que ma voix a mué : « C'est la voix d'un homme, tu as grandi vite, toi mon tout petit, mon petit dernier, j'aime tous mes enfants, mais toi, il y a quelque chose de plus, c'est comme ça, je ne sais pas pourquoi, il ne faut pas m'en vouloir, quand viens-tu me voir, fais attention en marchant, n'oublie pas que tu n'es qu'un enfant ! »

Ma mère m'a renvoyé en enfance. À ses yeux je n'ai pas grandi. Je suis toujours l'enfant qu'elle chérissait à Fès quand j'étais malade et que je maigrissais à vue d'œil. Elle est revenue à l'époque où elle craignait de me perdre à cause d'une maladie inconnue. Je lui dis que j'ai plus de cinquante ans, que j'ai quatre enfants et qu'elle doit confondre son fils avec ses petits-fils. Elle ne me croit qu'à moitié : « C'est ça, dis que je suis devenue folle, que je n'ai plus ma tête, que ta mère fabule, dit n'importe quoi, oui, fais-moi signe si tu es d'accord, peut-être que tu as raison, je délire, tu sais les médicaments ne font pas que du bien, ils dérangent ce qu'ils ne soignent pas. Donc tu n'es pas mon petit garçon et nous ne sommes pas à Fès. Mais c'est quoi cette nouvelle maison ? je ne la connais pas. Ramène-moi chez moi. Tu vas pas m'oublier ici ? «

Ma sœur est repartie chez elle. Elle n'avait plus de patience pour s'occuper de sa mère. Ses nerfs ont lâché. Je la comprends et lui demande de faire attention à sa santé. Elle me dit que tout est entre les mains de Dieu. J'acquiesce et baisse les yeux. Que faire contre ceux qui croient à la fatalité, qui pensent que tout est écrit d'avance et que nous ne sommes sur terre que pour vivre ce qui nous a été tracé par Dieu ? Ma mère est moins fataliste que sa fille. Elle est certaine que Dieu dirige les actes des êtres humains mais qu'on ne doit pas rester les bras croisés en attendant que les choses arrivent.

15

Le cardiologue est passé ce matin voir ma mère. Il me demande de l'aider à la soulever pour l'examiner. Elle ne pèse pas très lourd. En me penchant j'aperçois son sein gauche. Fripé, vidé, une peau flasque. Je détourne les yeux et regrette d'avoir vu ce sein. Je n'aurais pas dû rester dans la chambre. Ma mère avait une belle poitrine. C'est un de mes souvenirs d'enfance le plus ensoleillé. Nous étions à Fès. Je jouais sur la terrasse, quand ma mère fit irruption ; elle me cherchait croyant que j'avais fait une fugue. Elle était à peine habillée, on voyait parfaitement ses seins magnifiques. Je devais avoir cinq ou six ans. Elle me serra contre elle et m'embrassa la tête. J'avais sa poitrine dans les yeux. Je me collai contre elle et trouvai cela apaisant et doux.

Ce souvenir est plus essentiel que ceux accumulés dans le hammam. C'est vrai que j'ai vu ma mère nue plusieurs fois, mais cela se passait dans la pénombre et la vapeur du bain maure. Il y avait d'autres femmes, d'autres formes qui me hantaient la nuit ; j'avais souvent des cauchemars où ma tête était écrabouillée par deux paires de seins immenses, ou bien mon corps frêle était prisonnier de cuisses lourdes et gluantes. Non, je ne garde pas de bons souvenirs de cet épisode du hammam. J'étais soulagé le jour où l'Assise, la gardienne du bain, m'interdit l'entrée. Ma mère avait beau protester, j'étais trop grand pour être innocent. C'est ce que disait l'Assise. Alors j'attendais au seuil du hammam et j'aimais voir les femmes en sortir sentant le savon, le henné et le parfum.

Ma mère s'est rarement maquillée. Elle n'a jamais acheté un rouge à lèvres de marque. Quand elle était en bonne santé, elle utilisait un produit artisanal qui lui faisait des joues trop roses. Elle ne connaît pas le fond de teint ni les crèmes anti-rides, encore moins la chirurgie esthétique. Elle ne sait même pas que cela existe. On lui a dit qu'une de ses nièces s'est fait refaire le nez et la poitrine. Elle a ri et a demandé à Dieu de lui pardonner. Comment toucher à l'œuvre de Dieu ? C'est une hérésie. Puis elle a ajouté : c'est pour ça qu'elle a vieilli d'un coup ! Punie par Dieu !

Ma mère sait que son corps n'a pas pu résister à la maladie, mais elle ne s'en plaint pas. Elle n'exprime pas la nostalgie des temps de sa jeunesse. Pas de regrets, juste un peu de lassitude de devoir s'arranger avec un corps affaibli et une vue de plus en plus floue. Elle ne cache pas son âge. Elle ignore sa date de naissance. Je suis vieille, je suis au seuil de la tombe, c'est normal, c'est notre destin à tous, je n'ai pas peur, je suis fatiguée d'attendre, mais il faut que vous soyez là, voilà, c'est tout ce qui m'importe !

J'ai essayé parfois de calculer son âge en recoupant des témoignages, des faits historiques. Mariée une première fois très jeune, elle garde de cet événement un souvenir vague, en fait, elle se moque du temps qui passe. Elle dit simplement qu'il lui arrivait de fuir la maison de son époux pour aller jouer à la poupée avec ses cousines. Le soir le mari venait la chercher sans oser la gronder. Elle devait avoir quinze ans. Bien sûr il était un peu plus âgé qu'elle. Ils ne se connaissaient pas avant la nuit de noces. C'était ainsi, la tradition, la pudeur. On n'en parlait pas. Qui aurait osé contester ce genre de coutume ? Dans la famille aucune femme de sa génération ne s'est révoltée. Je me souviens des après-midi entre femmes dans notre grande maison à Fès. Elles se réunissaient pour boire du thé tout en préparant des gâteaux. Elles riaient, plaisantaient, disaient des gros mots oubliant que j'étais là ; je faisais semblant de dormir. Elles évoquaient le sexe des hommes. Certaines se levaient et dansaient. Ma mère était très pudique. Sa sœur cadette était plus effrontée. Avec la pâte d'amandes pour les cornes de gazelle, elle a sculpté un gros pénis et ses testicules, l'a roulé dans la farine et l'a envoyé au four. Les femmes se disputèrent pour le manger. Je riais en douce dans mon coin.

J'ai toujours aimé m'asseoir à côté de ma mère et l'écouter. Avant, elle me parlait de sa vie, de sa jeunesse et des difficultés de la vie conjugale. Elle n'en voulait pas à mon père mais regrettait qu'il fût si peu tendre avec elle. Elle remarquait comment sa sœur était traitée par son mari. Elle l'enviait un peu. Mais très vite, comme si elle avait offensé le destin, elle demandait pardon à Dieu et le priait de l'aider à supporter les choses désagréables : mon Dieu, j'ai certainement eu une mauvaise pensée, j'ai dû tomber dans l'ignorance et j'ai suivi Satan, alors pardonne-moi, pardonne à cette femme, fille d'un saint homme, qui prie tous les jours et réclame ta bénédiction. D'habitude je fais attention ; j'évite les mauvaises paroles et les pensées néfastes.

Aujourd'hui quand je m'assois à ses côtés, nous nous parlons quelques minutes, puis c'est le silence. Elle s'assoupit un peu. Je tousse pour la réveiller. Elle ouvre les yeux et oublie que nous avions bavardé. Elle me redemande comment vont les enfants, ce que je fais, où j'habite et quand tout le monde sera réuni. Elle se rendort. Je l'observe en refoulant une grande tristesse. Ma mère s'absente. Elle meurt un peu. Je suis des yeux sa respiration. Je sais, le cœur peut flancher à tout moment, peut-être dans son sommeil. Elle a souvent parlé de cette mort douce. Une de ses cousines est morte après la prière du soir. Le matin elle ne s'est pas réveillée. Ma mère dit que c'est une femme bonne et vertueuse. Dieu l'a rappelée à lui dans le silence de la nuit, sans la faire souffrir. En disant cela elle émet le vœu de partir comme elle. Ma grand-mère aussi est morte dans son sommeil. Elle était très âgée. Ses funérailles ressemblaient à une célébration, une fête.

La douleur, l'insinuation du mal dans le corps, l'agonie, la lenteur du temps et des choses. Voilà ce que ma mère craint le plus. Elle dit tout vient de Dieu. C'est sa volonté, je ne suis qu'un être faible sous sa très grande lumière. Je prie, je dis les versets de Dieu, les paroles de son saint Prophète, j'attends avec patience mais je ne supporte pas la souffrance. J'ai mal sur toute la peau, je sens tous mes membres. Et je m'ennuie.

L'ennui, voilà l'ennemi. Dieu n'y est pour rien. Ma mère s'ennuie parce qu'elle ne sait ni lire ni écrire. Je repense à la mère de Roland, quatre-vingt-douze ans. Elle ne rate aucune partie de bridge. L'année dernière elle a eu un malaise au pied des Pyramides. La chaleur et le choc émotionnel. Mais elle lit encore et regarde certaines émissions de télévision. Le lendemain elle téléphone à son fils pour discuter avec lui. Mais Roland s'endort très tôt et ne regarde pas les émissions culturelles qui passent tard à la télévision. Sa mère le lui reproche et lui rit en douce.

Un jour j'ai raconté à ma mère tout ce qu'entreprend à plus de quatre-vingt-dix ans la mère de mon ami. Elle ne fut pas étonnée. C'est normal, ce sont des gens qui ont su vivre et n'ont pas leur vie dans les cuisines et buanderies. Avant, nous n'avions aucune machine ménagère. Je faisais tout avec les mains. J'avais de l'aide, mais souvent je tombais sur des femmes encore plus ignorantes que moi et qui m'énervaient. La mère de ton ami devait avoir les moyens de vivre très confortablement. Nous, nous avions toujours manqué d'argent. Ton père n'avait pas le sens du commerce et pourtant il s'entêtait à faire de mauvaises affaires. Il disait que la prochaine fois ce serait mieux. On vivait avec juste le strict nécessaire.

Peut-être que la mère de Roland a connu un autre genre de difficultés.

Ma mère n'a jamais regardé un autre homme. Comme ma sœur ou ma tante. C'est comme ça. Une question d'habitude et aussi d'éducation. Dans sa famille on se marie pour la vie. On ne divorce pas. On ne se remarie pas. La femme d'un ami de mon père fut surprise au lit avec son amant. Elle fut répudiée et renvoyée sans le sou. Ma mère a été horrifiée par l'audace de cette femme qui trompait son mari. Elle parlait de cette femme avec pitié. Elle ne comprenait pas ce qu'elle avait fait et les risques qu'elle avait pris. Cela dépassait son entendement.

Roland pense qu'avec les parents, les rapports sont forcément minés par des conflits. Il me parle de sa mère avec chaleur mais écrit sur elle avec une lucidité frisant la cruauté. Parlant d'une visite qu'il a faite à sa mère installée à la Résidence de Rumine à Lausanne, il écrit : « Là, une vieille femme, geignarde et capricieuse, me traite comme si de toute éternité j'avais été créé pour être à son service. Elle m'enjoint de téléphoner à ses amies. Il faut qu'elles sachent que son fils adoré est enfin venu lui rendre visite. » Il se voit en « fils hypocrite », « monstrueux dans l'écriture », « bienveillant dans le quotidien de l'existence ».

Il est vrai que « les liens du sang pervertissent tout ». Mais nous acceptons de jouer le jeu jusqu'à intégrer cette part maudite de notre être. Je n'ai pas senti le besoin d'être hypocrite, ou d'être cynique et cruel. Ma mère me désarme. Son regard, son chantage à demi-mot, ses exigences de moins en moins déterminées ne me jettent pas dans la compassion triste mais dans l'amour irrationnel et désintéressé.

Lecteur de Nietzsche, il m'est arrivé d'être choqué par ses relations tumultueuses avec sa sœur et sa mère. Il disait qu'il regrettait d'avoir développé le concept de « l'éternel retour » parce qu'il pourrait permettre à ces « machines infernales » de revenir sur scène. On imagine assez bien Nietzsche né de mère inconnue et vivant sans famille, seul en haut d'une montagne à l'image de Zarathoustra. Mais quand il s'ennuyait d'elle, il lui écrivait des lettres où il réclamait des saucissons qu'elle lui donnait à manger quand il était enfant !

Je n'écris pas à ma mère. Je lui parle. Je ne peux plus lui demander de me préparer un plat de lentilles ou de fèves à l'huile d'olive comme elle faisait il y a quelques années.

Ma mère aussi est devenue « geignarde et capricieuse ». La maladie, l'ennui, la solitude ont favorisé chez elle ses mauvais penchants. Elle n'est pas tyrannique, elle joue à avoir de l'autorité sur Keltoum. Elle insiste, se répète et lasse ceux qui sont à ses côtés. Il lui arrive de s'en rendre compte, elle demande de ne pas faire attention à ces « petites choses ».

16

« Les petites choses » de la vie deviennent de plus en plus problématiques : elle aimerait qu'une manucure lui taille les ongles de pieds. Keltoum a acheté un coupe-ongles inefficace. Elle voudrait que Keltoum lui gratte le dos sans la brusquer ni la gronder, aller à la salle de bains sans s'appuyer sur son bras, avoir de l'argent sur elle pour le jeter dans la cuvette des toilettes, retrouver ses bijoux et les porter comme si c'était un jour de fête, sortir, marcher et même courir.

Cela fait plus de vingt ans que ma mère n'a pas jeûné. Les médecins avaient eu du mal à la convaincre de ne pas faire le ramadan. Elle se culpabilise et dit qu'elle « rendra » sa dette à Dieu quand elle sera guérie. Elle me demande comment cela se passe pour moi en France durant le ramadan. Je lui explique qu'il manque dans ce pays l'atmosphère religieuse et spirituelle pour jeûner. Elle ne s'en offusque pas. Il m'arrivait de ne pas respecter les règles strictes du jeûne. Elle ne me faisait pas de reproches, elle disait : « C'est entre toi et Dieu. » J'aimais cette tolérance. Mes parents ne nous ont jamais obligés à pratiquer la religion. Je me souviens des hivers rudes à Fès. Il fallait se lever tôt et aller chercher l'eau dans le puits. Faire ses ablutions avec de l'eau glacée était un petit calvaire. Je redoutais ces matins froids. Un jour mon père nous a réunis, mon frère et moi, et nous a dit ceci : « La prière est un des cinq piliers de l'islam. Il faut faire les cinq prières quotidiennes. On peut même les faire toutes à la fin de la journée. Ce n'est pas une punition. Si vous ne sentez pas le besoin de prier, alors ne priez pas, ne faites pas semblant, ça ne servira à rien, le jour du Jugement dernier, vous serez seuls devant votre conscience et devant Dieu. Vous répondrez devant le Suprême de vos actes. C'est à vous de décider. Je ne vous obligerai jamais à être croyants. J'ai fait mon devoir en vous montrant le chemin. De toute façon, l'islam c'est simple, pour être un bon musulman, il suffit de croire en un Dieu unique et son prophète Mohammed, le dernier des prophètes révélés, de ne pas mentir, de ne pas voler, de ne pas tuer, de ne pas faire le mal intentionnellement, de se conduire correctement en respectant ses parents et les personnes âgées. Le reste, c'est à vous de voir, prier, jeûner, aller à La Mecque, ce sont des manifestations extérieures. Moi, par exemple, je n'ai aucune envie d'aller à La Mecque pour me faire exploiter par des Saoudiens sans scrupules ou me faire piétiner par des colosses africains. Et pourtant je suis musulman et je n'ai rien à me reprocher ! À vous de voir, il n'y a pas de contrainte en islam, le Prophète l'a dit, faites ce que votre conscience vous dit de faire. »

Ces paroles, dites sur un ton calme, m'ont libéré. Je ne remercierai jamais assez mon père de m'avoir parlé comme à un adulte. Je devais avoir sept-huit ans. Nous étions encore à Fès. Ma mère n'a pas su ce que mon père nous a dit. Mais elle était aussi tolérante que lui.

Je ne sais pas d'où cela vient, mais l'inquiétude est une constante dans la famille. Elle est transmise des parents aux enfants depuis plusieurs générations. La peur, l'idée de la perte, la hantise de l'accident. Notre vie a été minée par l'angoisse. Je ne sais plus qui de mon père ou de ma mère est le plus inquiet. Je pense que mon père a très vite communiqué cet état d'être à ma mère. Aujourd'hui encore, ma mère a des palpitations et devient blême quand j'arrive avec une heure de retard au déjeuner. Elle pense tout de suite au pire. Quand elle était valide, elle se mettait à la fenêtre et attendait ; parfois elle enfilait une djellaba et sortait dans la rue, espérant ainsi hâter mon arrivée. Toutes les mères méditerranéennes sont inquiètes. La mienne devait l'être un peu plus que les autres. Je ne supportais pas ces manifestations d'affection excessive. Je m'énervais, je protestais, ensuite je m'en voulais, je n'étais pas fier de moi d'avoir fait mal à ma pauvre mère. Elle me répondait, soulagée, « tu verras quand tu auras des enfants, ton foie ne supportera pas ce que le mien a déjà supporté ! », puis, quand elle retrouvait son état normal, c'est-à-dire calme et serein, elle ajoutait : « Je sais, ça t'énerve, mais Dieu m'a ainsi faite, c'est lui qui m'a donné un foie si fragile, je n'y peux rien et je ne crois pas que je changerai un jour ; je ne peux pas m'endormir quand un de mes enfants est dehors, quand je ne sais pas où il se trouve et ce qu'il fait, c'est ainsi, j'ai le foie fou, atteint de folie, ce n'est pas logique, mon cœur bat plus fort dès que je pense à vous, la vie est pleine d'imprévus et d'accidents, alors il faut faire l'effort de me comprendre, avec le temps tu comprendras ! »

Avec le temps je n'ai pas compris ni admis cet attachement étouffant. J'essaie de ne pas reproduire ces comportements avec mes propres enfants. Mais j'avoue que mes parents m'ont refilé le virus de l'inquiétude et de l'impatience.

J'avais seize ans à ma première réunion politique. Nous nous étions réunis chez un copain pour former un syndicat de lycéens en vue de lutter contre la répression au Maroc. J'étais rentré vers deux heures du matin. Mes parents étaient devant la porte, mon père menaçant, ma mère en larmes. Avant d'entendre les reproches du père, j'embrassai les mains de ma mère en lui demandant de me pardonner : « J'étais dans une réunion, on va faire des grèves pour que la police ne nous tabasse plus ! » Mes parents étaient effarés. « Plus de réunion ! plus de politique ! » criait mon père.

Il savait de quoi était capable la police marocaine. Un été, alors que nous étions en vacances chez mes cousins de Casablanca, nous avions été cambriolés. Mon père, calme et décidé, nous a demandé de ne toucher à rien. Il faut que la police vienne prendre les empreintes et constater l'effraction. Le pauvre ! Il se croyait dans un film policier américain. La police était venue et emmena mon père dans une fourgonnette. Il avait honte. Tous les voisins étaient sortis pour assister à la scène. La police le traita comme si c'était lui le voleur. Au commissariat, elle l'avait laissé attendre dans un couloir. Après des heures, il fut interrogé comme un voyou, lui demandant tellement de renseignements sur ses enfants, sur son commerce, sur ses habitudes, qu'il se leva et, avec son humour que la police était loin d'apprécier, dit : je suis désolé, messieurs, je vous jure que je ne recommencerai plus, c'est la dernière fois. À présent laissez-moi m'en aller.

Ainsi il n'y eut pas de plainte et mon père nous dit sur un ton grave : dans ce pays c'est le plaignant, celui qui a été agressé et volé, qu'on juge, pas le voleur, lui, il partage avec ses amis de la police. Faites en sorte de ne jamais tomber entre ses mains. Ce sont des gens sans principes, sans éducation. C'est ainsi, on n'est pas en Suède !

Plus tard, lorsque mes parents entendirent parler de réunion politique, ils virent le spectre de la police s'abattre sur la maison.

Cette scène allait décider de la suite des événements. Ma mère date l'apparition de son hypertension artérielle et de son diabète de cette époque-là. L'arrivée très matinale d'une jeep de la gendarmerie pour m'emmener dans un camp disciplinaire de l'armée a été un traumatisme dans sa vie. J'avais vingt-deux ans, je n'avais pas terminé mes études. Les dix-huit mois du camp ont aggravé sa maladie. Elle le dit encore aujourd'hui et pense que c'était écrit mais que Dieu aurait pu lui éviter ça. Sa mémoire qui vacille confond cet épisode avec d'autres événements malheureux. Elle se souvient cependant qu'on lui a pris son fils durant plusieurs mois. Elle confond les mois et les années. Gendarmya, oui mon fils, ces brutes ont bousillé ma santé, toi, tu disais que ce n'est pas grave, mais les Gendarmya avaient un regard de tueurs, tu es parti, et moi je ne savais plus quoi faire dans la maison, je tournais en rond comme une folle, la vérité j'étais devenue folle, ton père aussi, on n'avait aucune information, je pensais à toi et je savais que tu souffrais de la faim et de l'injustice, enfin, Dieu, seul Dieu est capable de nous rendre justice. Je pensais au fils de notre voisin, le pauvre, on l'avait emmené dans une jeep et ses parents ne l'ont plus jamais revu, la police leur disait mais votre fils s'est enfui, il doit vivre en Algérie ou en Espagne, il doit avoir quelque chose à se reprocher. Ses parents sont tombés malades et leur fils n'a jamais réapparu.

Je ne me souviens pas avoir fait des compliments à ma mère, ni sur sa cuisine si sur son élégance. Elle nous le reprochait souvent, surtout au moment des repas. Elle aurait aimé entendre des mots gentils du genre : « Que Dieu te donne la santé et qu'il te garde pour que tes mains continuent de nous nourrir si bien ! » Ou bien : « Tu es la meilleure cuisinière du monde. »

Quand mon frère et moi étions invités chez mon oncle ou chez des amis, ma mère tenait à connaître dans le détail le menu et notre opinion sur la qualité des mets. Elle cherchait ainsi des compliments. Nous étions assez avares en paroles affectueuses. C'était plutôt la règle : on ne manifeste pas publiquement ses sentiments, on n'en parle pas et surtout on évite les épanchements affectifs. Je ne me souviens pas avoir entendu mon père ou ma mère parler d'amour. On ne dit pas « je t'aime », on ne s'embrasse pas en public, on n'étale pas sa vie intime devant les enfants. Pudeur et respect.

17

Cela fait un mois que je n'ai pas vu ma mère. Pour elle, c'est une petite éternité. Elle me l'a dit hier au téléphone : tu ne t'en rends pas compte, mais cela fait longtemps que tu n'es pas venu me voir. Je vais mourir sans avoir revu tes enfants. Ils ont grandi, je sais, mais dis-moi, ta fille aînée, elle vit avec vous ou elle est partie ailleurs ? Quand viendras-tu ? Après le ramadan ? Mon Dieu c'est long ! non, viens avant, juste un peu, je vais mourir de cet amour, je sais, il me fait mal, et puis je m'ennuie, je n'ai rien à faire, je suis là, dans un coin, comme un tas d'os qui ne bouge plus. Ta pauvre mère est folle, c'est ce que tu dois te dire, dis-le, ça ne me dérange pas, c'est un peu vrai, pas tout le temps, mais il m'arrive de perdre le fil du temps et de tout confondre. Les médicaments ne sont pas tous des amis, ce sont des faux amis, ils me font du bien et du mal, d'un côté ils soignent, de l'autre ils attaquent. Alors, quand viendras-tu ? Demain ? Non ? et pourquoi mon fils, tu es loin, tu ne peux pas, tu as trop de travail, mais où travailles-tu ? tu me l'as déjà dit mais j'oublie, l'oubli c'est lui l'ennemi principal, déjà ton père me disait que j'avais la maladie de l'oubli, il le disait pour m'énerver, il me demandait de lui rappeler ce que nous avions mangé la veille, et je n'arrivais pas toujours à me souvenir de tout. Tu réclames ma bénédiction ! mais tu l'as, toi, tes frères et ta sœur, vous avez toute ma bénédiction, mais je sais, toi tu as besoin de plus, car tu es dans l'œil des gens, tu es au centre de beaucoup de jalousie et d'envie ; les gens sont méchants, ils n'aiment pas ceux qui réussissent, ils leur lancent le mauvais œil, mais moi, je veille, que Dieu te protège et te mette à l'abri de toutes les manigances et les nuisances, je sais et je vois avec mon cœur que des ombres noires tournent autour de toi comme des vautours, on veut te faire du mal, moi, je sais qu'ils perdent leur temps, tu es le petit-fils d'un saint, ils ne pourront rien contre toi, laisse-les s'agiter, tu es au-dessus. Je ne connais pas la méchanceté. Je n'ai jamais été mauvaise avec personne. C'est comme ça, c'est ma nature, je suis incapable de penser à faire mal, alors qu'il existe des gens doués pour le mal. Faut que tu le saches, que tu te méfies, mais quand on est bon on ne se méfie pas. Je l'ai dit tout à l'heure à mon père, tu sais, il est revenu avec sa barbe toute blanche, il m'a prise dans ses bras et m'a murmuré à l'oreille. La maison est pleine d'invités. Je me demande pourquoi ils sont tous là. Je te dis méfie-toi des gens, ceux qui essaient de profiter de toi, mais ils ne réussiront pas. Va, mon fils, n'oublie pas ce que je t'adresse comme vœux, ils sont tous sains et bons, tu les mérites, mais fais attention. Dieu t'a donné un don, tes doigts sont un trésor, là où tu poses ta main, tu auras du bien, la pierre deviendra de l'or, l'or deviendra de l'amour, et toi, simple et bon, tu es mon enfant, celui qui a tant d'affection pour moi ! Mon père s'en va, il est parti avec notre Prophète. Fès, en ce moment est une ville merveilleuse. Tanger ? Où ça se trouve ? Non, je te dis que je suis à Fès avec mes parents, et je joue avec les boîtes de médicaments laissés par Sidi Mohammed, tu sais il est mort, le pauvre, il est parti et n'a même pas vu sa fille...

Cela agace un peu mes frères. Ils savent que le petit dernier est souvent privilégié. Quand nous étions enfants, elle ne faisait pas de différence entre nous. Elle nous aimait avec la même passion. Le matin, avant de nous envoyer à l'école, elle nous glissait dans la poche dix raisins secs chacun et nous disait, c'est pour l'intelligence ! enfin on dit que le bon raisin nourrit l'esprit, donc si tous les matins vous en mangez, c'est sûr que vous ne serez jamais stupides, de toute façon mes enfants ne sont pas mal, et puis la guenon aime ses petits quelle que soit leur laideur, moi je vous aime et vous êtes beaux, allez dans la lumière de Dieu et faites des progrès pour réussir tous les examens.

En rentrant de l'école, on criait avant même d'être arrivés à la porte de la maison : « On a faim ! » Ma mère a tout essayé pour qu'on cesse de crier dans la ruelle. Elle était persuadée que les voisins faisaient des commentaires du genre : cette famille affame ses enfants, elle ne leur donne pas assez à manger, ce sont des gens avares ou pauvres. Les voisins ne disaient rien puisque leurs propres enfants criaient en même temps que nous. Mais ma mère a toujours cherché la discrétion. C'est sans doute pour cela qu'elle n'élève pas la voix. Elle ne crie jamais.

Elle n'aime pas les couleurs vives ni les parfums forts. Elle aime la clarté, la lumière, les grands espaces. Elle dit la lumière élargit le cœur, le marron foncé assombrit l'horizon, le noir nous coupe de la vie, le bruit nous éloigne des gens, la panique invite la mort, l'insomnie met du noir dans le fond des yeux, l'argent n'est que la mauvaise poussière de la vie, que Dieu remplisse notre cœur de sa présence et que sa lumière empêche le mal, si tu m'achètes un foulard choisis celui dont les couleurs sont celles du printemps ensoleillé, je ne veux pas de noir, je n'ai jamais porté de noir.

18

Aujourd'hui elle porte un tchamir blanc, sorte de robe longue qui sert de chemise de nuit. Elle n'aime pas ce tchamir. Elle réclame ses beaux caftans, ses mansourias et ses foulards. Je ne vais pas les emporter dans la tombe, je préfère les mettre maintenant que jamais. Keltoum lui dit je te les donne après le bain, puis elle oublie.

Ma mère ne s'aime plus. Elle ne veut plus se regarder dans un miroir. Avec ses mains, elle ajuste le fichu qu'elle a sur la tête et soupire comme si elle était condamnée à ne plus s'habiller. Je lui tends le petit miroir qu'elle garde dans son sac, elle se détourne puis lentement se regarde, cherche son image, baisse la tête comme si elle allait pleurer. Je remets le miroir dans le sac. Elle se plaint à moi pendant que Keltoum me fait des signes des yeux pour me signifier qu'elle délire. Je sais qu'elle a maintes fois jeté dans la cuvette des toilettes des billets de banque et des bijoux, je sais qu'elle déchire son tchamir et qu'elle refuse de porter des couches. Elle ne m'en parle pas. Même dans ses incohérences, elle se tient bien, discrète et pudique. Elle se plaint trop. Ce n'est pas nouveau. Une façon de passer le temps, de dire quelque chose.

L'autre jour en lui baisant la main, elle retient la mienne et la porte à ses lèvres pour l'embrasser. Je résiste un peu puis la laisse faire. Elle la garde dans la sienne. Même ses mains sont devenues petites. Elle parle sur un ton lent et doux : je suis une mendiante ; je ramasse les feuilles mortes du temps, un jour par-là, une semaine par-ci, ça fait longtemps que je récolte les heures et les dépose là dans un coin de la chambre ; tu trouves pas que la chambre est devenue étroite, on dirait une tombe, peut-être que c'est ça la mort, la pièce où je vis va me couvrir et m'entourer de ses murs jusqu'à m'ensevelir ; je te disais que je mendie le temps ; mais il m'arrive de ne plus vouloir prendre ce temps offert par Dieu. Je ne ramasse plus rien. Je me baisse et il n'y a plus d'heures qui traînent par terre. Ma vue a baissé. Je ne vois plus les choses ni les heures. Je les vois mais elles sont floues et lointaines, étranges. C'est ça l'ennui ; il me joue des tours, il me ment, me fait miroiter des journées pleines de fastes et de lumière et en réalité, il n'y a rien de tout ça. Tout de même, je ne suis plus une gamine pour qu'il se moque de moi, tu vois, mon fils, je dis n'importe quoi et après je n'y pense plus, mais dis-moi, le ramadan a commencé hier, je ne jeûne pas, le médecin me l'interdit mais je prie et demande à Dieu son pardon, mais je ne mange pas grand-chose, j'ai un tout petit appétit. N'oublie pas d'acheter le mouton de l'Aïd.

Elle confond l'Aïd-el-Séghir, la fête qui marque la fin du ramadan avec l'Aïd-el-Kébir, la fête du sacrifice du mouton qui a lieu soixante-dix jours après. Bien sûr j'achèterai un mouton et on distribuera sa viande aux pauvres. Keltoum me regarde avec un air de pauvre. Elle aura son mouton qu'elle mangera avec ses enfants.

J'ai l'habitude d'offrir à ma mère un exemplaire de chacun des livres que je publie. Je le lui apporte, le mets entre ses mains, et lui fais un résumé de l'histoire. Elle l'ouvre, le feuillette à l'envers ou à l'endroit, puis fait une prière. Elle le bénit. Souvent elle entame une discussion sur certains détails. Pour elle, un livre c'est comme la réalité. Les faits ne doivent pas être déformés.

L'autre jour elle reçut la visite d'une de ses nièces, Soumaya, mariée avec un milliardaire. Cette femme m'avait téléphoné un jour pour me donner des leçons de littérature : arrête d'écrire des livres qui n'ont rien de marocain, qui parlent de notre religion avec désinvolture, Dieu te punira parce que tu prends des libertés avec notre belle religion, tu devrais mettre ta plume au service de l'islam et de la nation musulmane, arrête d'écrire des histoires sans intérêt pour le Maroc, des livres qui plaisent aux chrétiens, tu trahis ta patrie et ta religion et en plus tu n'écris même pas en arabe, tu devrais te mettre à apprendre la langue du Coran et te mettre au service des belles causes, des causes justes, celles qui défendent l'islam et mettent au ban de la société les mécréants, tu donnes une mauvaise image de notre pays, tu devrais avoir honte..., etc.

Cette fille que mon oncle fit marier très jeune parce qu'elle avait le feu au cul fait aujourd'hui du prosélytisme. Chaque fois qu'elle rend visite à ma mère elle lui offre un Coran relié et lui demande d'intervenir auprès de moi pour que je change les thèmes de mes romans. Ma mère lui répond qu'elle ne manquera pas de me passer le message. Tu sais mon fils, ta cousine Soumaya m'a encore offert un livre saint, regarde, il est beau, tu devrais écrire un livre comme celui-ci, elle a raison, si tu écris un livre comme celui-ci tu seras un saint homme et tes ennemis n'auront plus rien à dire !

Écrire le Coran ! je ne sais pas si ma mère plaisante ou délire. Yemma, le Coran c'est le Livre de Dieu, personne ne peut le réécrire, ni dire l'avoir écrit, c'est un livre miracle, inimitable, sacré et éternel, comment veux-tu que ton fils fasse la concurrence à Dieu ? Mon fils demande pardon au Créateur ! je ne t'ai pas demandé d'écrire le Coran, mais un ouvrage qui va dans le sens du Coran, c'est ce que Soumaya te demande, elle a raison. Mais fais ce que tu as envie de faire. Tu es grand et responsable mais tu sais, j'ai peur parfois des gens qui te veulent du mal, ils sont jaloux et ont des yeux qui font des trous dans ce qu'ils regardent, ils sont mauvais et tu devrais te méfier de certains qui se disent des amis, c'est par des gens proches que le mal arrive, les gens lointains, ceux qui ne te connaissent que superficiellement, ne peuvent pas te nuire, ils parlent mais on ne les croit pas forcément, ceux qui te fréquentent sont crédibles, tu ne te méfies pas assez, faut faire attention, la réussite c'est comme une lumière très forte, elle aveugle les gens en face, ça les rend fragiles et les pousse à la rancœur, la jalousie, l'envie, et surtout ils lancent le mauvais œil, ils pensent que tu ne mérites pas la réussite, en vérité Dieu t'a mis au-dessus de ceux qui te veulent du mal, crois-moi, je sais ce que je dis, mon père était un saint, la lumière entourait son visage, c'est lui qui m'a appris que la bonté naturelle est un don de Dieu, je suis bonne, je n'ai jamais voulu de mal aux autres, même à ceux qui te jalousent, je les laisse à Dieu, tu sais ton père n'était pas toujours bon, il était jaloux des commerçants qui réussissaient. Je lui disais souvent de renoncer à la jalousie, il pestait, hurlait et était sans défense. Tiens, je l'ai vu hier, il est passé me voir, il portait une djellaba blanche, un tarbouche rouge vif, et sentait le parfum du paradis. Il était souriant. Il a rajeuni. Mais yemma, mon père est mort il y a plus de dix ans ! Ah, bon, il est mort et on ne me l'a pas dit ! en tout cas, je l'ai vu, la mort lui va bien, il a la peau claire et les yeux apaisés. La mort rend les choses à leur place. Son âme voyage. C'est ça, c'est son âme que j'ai vue. Elle sentait bon.

Tu sais que ton père s'habillait mal, il portait toujours des djellabas marron foncé que je détestais ; il n'aimait pas changer de chemise tous les jours ; il disait que les apparences n'avaient pas d'importance. Il était propre mais n'aimait pas les beaux vêtements. Heureusement que tu ne lui ressembles pas. Tu t'habilles très bien. Cela aussi énerve les gens, ils ne supportent pas bien l'élégance des autres. La jalousie, c'est fou ce que les gens sont jaloux. Je suis inquiète quand je te vois à la télévision, parce que ton image va partout, elle pénètre dans toutes les maisons, je n'aime pas que tu apparaisses trop, qu'on te voie trop, tout cela excite la malveillance des ennemis qui disent du mal dès que tu as le dos tourné, ils veulent tous être à ta place, méfie-toi de ceux qui te sourient systématiquement, ceux qui te flattent, qui te disent que tu es le meilleur, ceux-là, mon fils, essaient d'endormir ta vigilance, c'est comme l'ami de ton père, l'homme d'affaires qui prétendait jongler avec des millions, tu sais celui qui avait réussi à soutirer à ton père ses économies pour les placer dans un compte fantastique et que ton père n'a jamais récupérées, celui-là, j'ai prié Dieu pour qu'il s'occupe de son sort et qu'il l'éloigne des personnes confiantes pour qu'il ne les vole plus. Fais attention ! tiens je ne vois plus, où sont mes lunettes ? je vois du noir, cherche avec moi, peut-être qu'elles sont tombées, regarde sous le lit... Mais yemma, tu les portes, c'est une panne de courant, la lumière ne va pas tarder à revenir, tiens prends ma main et prions ensemble pour que la lumière revienne ! Qu'est-ce je disais ? Rappelle-moi ce que je te disais, je ne me souviens plus des choses récentes, mais je me rappelle bien les choses vieilles, c'est curieux, les souvenirs les plus anciens sont fidèles, ils ne nous quittent pas, alors que ceux de ce matin, je ne les ai pas gardés, je ne sais pas ce que j'en ai fait, peut-être qu'ils sont tombés par terre comme les lunettes. Les vieux souvenirs nous accompagnent jusqu'à la tombe. Qu'est-ce qu'ils deviennent après ? je n'en sais rien. Il m'arrive d'imaginer un grand magasin, une espèce de hangar où les morts passeraient par-là avant d'être enterrés, déposeraient dans ce lieu leurs vieux souvenirs et partiraient légers vers la maison de Dieu. J'ai hâte d'y aller. Je te parle sérieusement, je suis fatiguée, je suis lasse et je ne supporte plus les deux femmes qui rôdent autour de moi, elles m'observent avec des yeux de hyène, elles attendent mon heure pour s'emparer de mes affaires. Je sais lire dans leur regard, j'apprends des choses même quand elles ne parlent pas. Tu te souviens de nos voisins, le couple de vieux Français. Le mari est mort le premier. Leur femme de ménage a profité de la maladie de sa maîtresse pour tout lui voler, elle a même fait venir un camion qui a tout enlevé. Le lendemain on a appris que la vieille est morte. En vérité, la vieille est morte très tôt le matin. La femme de ménage n'a averti personne, elle a profité de ce moment pour tout emporter. La police est venue ; la femme s'est arrangée avec elle. J'ai peur que les deux me volent ce qui me reste. C'est pour ça qu'il faut être vigilant. Je sais, tu ne donnes pas d'importance aux choses, tu dis qu'il ne faut pas s'attacher aux objets, mais moi, c'est tout ce que je possède, et je ne veux pas qu'on me dévalise ni maintenant ni après ma mort. Prends un crayon et une feuille de papier et écris :

Sept caftans brodés aux sept couleurs que j'aime : le blanc, le beige, le jaune clair, le bleu ciel, le mauve, le vert clair, le rose, le bleu nuit, le blanc cassé... Mais yemma cela fait plus de sept... ça fait rien, sache que j'ai une dizaine de caftans dont certains encore tout neufs, ajoute deux foulards chacun, assortis évidemment, cinq mansourias puis quatre ceintures brodées à Fès par Maître Bennis... Puis les djellabas pour sortir aux occasions exceptionnelles, car je ne parle pas des djellabas de tous les jours, elles sont quelconques. J'ai donc cinq djellabas en soie cousues par le fils de Maître Bennis. Note aussi que j'ai des mouchoirs brodés pour les fêtes et cérémonies. Pas la peine de noter les sous-vêtements et pyjamas. Après les habits, je voudrais que tu inscrives dans ton cahier la liste des bijoux que j'ai... Mais yemma, tu as déjà distribué tes bijoux à tes petites-filles ou à leur mère. Tu n'as plus ou presque plus de bijoux. Ah, bon ! je n'ai plus de bijoux ! je t'ai bien dit que je suis entourée d'ennemis et de voleurs. Mes bijoux ont été volés, voilà, Keltoum et l'autre grosse les ont pris durant mon sommeil ou quand j'étais à la clinique. Non, yemma, tu me les avais confiés et ensuite je les ai distribués suivant tes consignes. Tu en es sûr ? Ou tu dis ça pour me calmer ? Bon, ça fait rien, disons que les bijoux ont disparu et note les autres objets que je possède : le salon, plus précisément la laine des matelas qui sont dans le salon ; c'est une laine achetée à Fès avec mes économies, ton père refusait d'équiper la maison. Cette laine, une tonne, non, moins, peut-être quatre cents kilos, tu devras la prendre pour ta maison, elle est de très bonne qualité, une laine sauvage qui rend les matelas très confortables. Ensuite, il y a les tapis, le tapis de Rabat ainsi que celui de Fès. Ils sont anciens et de bonne qualité. Il ne faut pas les brader. Tu as aussi le service à thé, fabriqué à Londres, il faut bien l'entretenir... Mais yemma, ce service, tu l'as donné à mon frère, le jour de son mariage, il y a de ça trente ans... Note, je te dis, tu ne vas pas m'embrouiller, je ne suis pas folle, je sais très bien que ce service est chez ton frère, mais ce n'est pas une raison pour ne pas le noter, on verra plus tard... La télévision, je m'en fous, la vieille radio aussi, elle ne marche plus depuis vingt ans, mais ton père aimait garder tout, les clés et serrures défectueuses, les piles, les lampes mortes, tout et la radio fait partie du lot, c'est un meuble. Ah, les rideaux, je les déteste, rends-moi service, arrache-les et donne-les à Keltoum, elle saura quoi en faire. Ah, la vieille armoire, lourde et encombrante, il faut la laisser à sa place, elle sert de garde-manger, son bois est mité, elle ne ferme plus, mais elle fait partie de la maison. Le miroir, l'immense miroir dans le couloir, a perdu de sa clarté, prends-le pour ta maison. Ton père l'aimait beaucoup. Je ne sais pas quoi en faire. Il est haut placé, je suis devenue petite, je ne peux pas m'y voir, alors il sert à rien... Tu sais, ton cousin, celui qui a perdu sa femme l'année dernière, il a plus de quatre-vingts ans, il vient de se remarier, la solitude l'a brisé, il s'est confié à moi l'autre jour, nous sommes assez complices puisque nous sommes de la même génération, il a trouvé une femme de bonne famille, la cinquantaine, mais les enfants ont très mal pris ce remariage, normal, ils aiment leur mère et ne supportent pas qu'une autre femme prenne sa place ; et puis cette épouse aura sa part de l'héritage... Tu sais, vers la fin de sa vie, ton père avait essayé de prendre une autre femme, une jeune comme la fille qui venait lui faire ses piqûres, j'ai réagi, je lui ai dit jamais, pas de mon vivant, après ma mort épouse qui tu veux, tu verras ça avec tes enfants, mais tant que je respire, je ne te laisserai pas faire une telle catastrophe, non, je n'étais pas jalouse, mais je ne peux pas supporter le manque de respect, j'ai ma dignité et mon honneur, alors il a renoncé à son projet... Cela te fait rire ! tant mieux ! Quand il viendra tout à l'heure, demande-lui de te raconter cet épisode, c'était l'époque où tu étudiais en France, tu ne vivais pas avec nous, tu venais l'été nous voir puis tu disparaissais toute l'année. Mais yemma, papa est mort, tu as encore oublié ? Non, je n'ai pas oublié, mais les morts nous rendent visite de temps en temps, il ne faut pas leur fermer la porte au nez, ça ne se fait pas, et puis ça porte malheur, les morts sont comme des anges, ils passent, laissent des traces de parfum et s'en vont. Alors ton père vient souvent voir ce qui se passe à la maison, il n'est pas toujours content, il râle mais comme les morts ne parlent pas, j'entends des soupirs dont l'origine n'est pas bien située. Tu sais, après ma mort, moi aussi je reviendrai, fais attention, laisse toujours une ouverture dans la maison, faut pas tout fermer, de toute façon l'âme traverse les murs et les forêts, elle fait son chemin jusqu'à votre sommeil, s'introduit dans les rêves et les rend plus crédibles, plus forts. Je n'ai pas peur de la mort, non absolument pas peur, c'est la volonté de Dieu, et puis la mort c'est la rencontre avec les saints, avec notre Prophète et avec Dieu, donc je n'ai rien à craindre, au contraire, je suis ravie... c'est la mort des autres qui me fait peur, je n'aime pas voir les corps rigides et froids et je n'aime pas dormir dans la pièce où le mort a été lavé, c'est comme ça, les odeurs bizarres du corps sans âme, la blancheur du linceul, les moitiés de datte sur le visage, tout ce rituel me froisse les yeux... Je n'ai pas faim, je n'ai pas sommeil, l'urine m'a échappé, quelle honte, oui, j'ai pissé sous moi, comme une enfant, tu vois, ta mère est devenue une toute petite chose qui ne se contrôle plus, je dis n'importe quoi, je mélange les souvenirs, je confonds les temps, et j'ai toujours ma tête. Des trous, oui, j'ai des trous de mémoire, même les gens bien portants ont des trous de mémoire, tu entends mon petit frère, tu te souviens quand nous jouions dans le jardin des voisins à Fès ? Tu te faisais prendre et moi je me cachais. Au fait, ça fait longtemps que tu n'es pas venu me voir, je suis ta grande sœur, tu as des devoirs à l'égard de ta sœur aînée, n'est-ce pas ? ou alors c'est ta femme qui t'empêche de sortir ? Mais yemma, je ne suis pas ton petit frère, je suis ton fils, ton dernier enfant, j'ai cinquante-six ans et je suis vivant. Ton petit frère est mort il y a vingt ans et sa femme aussi.

19

L'été 1953 la médina de Fès a perdu de son éclat, de sa vie. Les commerçants étaient en grève. Des réunions politiques avaient lieu dans les mosquées suivies de manifestations réclamant l'indépendance. Le Maroc ne pouvait pas vivre sans Mohamed V que les Français avaient déposé et exilé à Madagascar. Fès changeait de visage et de destin. On parlait de résistance et de lutte armée. Toute activité devait s'arrêter en signe de protestation. Il y avait ceux qui profitaient de la situation, faisaient du marché noir et dans la foulée renseignaient la police française. Commerçants et artisans étaient unis pour faire plier la France. Je me souviens d'une réunion chez le mari de ma tante. Le leader Allal El Fassi était arrivé entouré de plusieurs personnes. Il y avait aussi le mari de ma sœur, un potier, un homme très modeste et courageux. J'entendais parler de la patrie en danger, de la liberté, de l'Istiqlal, l'indépendance. Mon oncle m'avait confisqué un jouet, une toupie. Il m'avait même brutalisé en me tirant l'oreille : tu crois que c'est le moment de s'amuser, de jouer ? Le pays se soulève et toi tu joues à la toupie ! Je ne voyais pas en quoi ma toupie allait empêcher la libération du pays. Les rues étaient désertes. Fès n'était plus la même. La ville s'était enveloppée dans un drap froissé, elle n'avait plus droit à la fête, à la joie ni même à la lumière. Elle dépérissait tout en devenant le centre du nationalisme marocain. Tout ce que je savais c'est que mon père était malheureux, partagé entre son désir de lutter contre les Français et la volonté de ne pas perdre son commerce. Au bout d'un mois de grève et de manifestations, il n'avait plus de quoi nourrir sa famille.

Fès ! Ô mon homme, mon époux si jeune ! me dit-elle soudain. Fès, la ville des villes, la plus belle des cités, la ville de la civilisation, la ville de la religion musulmane, de la morale et de la bonne famille. Ah, mon homme ! Quelle erreur d'avoir quitté Fès ! Mais tout le monde l'a abandonnée, ses habitants, ceux qui y ont des racines et des ancêtres à El Guebeb, le plus beau cimetière du monde, l'ont trahie, ils sont allés à Casablanca pour faire fortune ! Tu as raison de regretter ce déplacement, c'est toi et ton commerce qui n'allaient pas bien, alors tu es arrivé un soir et tu m'as dit : femme, on s'en va à Tanger, mon frère me fait une proposition pour ouvrir un commerce, ici il n'y a plus rien à faire, rien ne marche, depuis qu'ils ont exilé notre roi, c'est la crise. Je t'ai dit, attendons un peu, le roi va revenir et les affaires reprendront ; tu as crié : t'as pas de conseil à me donner ! je t'ai suivi en silence, je disais rien, comme d'habitude, j'étais consentante parce que je ne pouvais pas faire autrement, et puis il y avait mon autre fils, celui que tu n'as jamais accepté, le fils que j'ai eu avec mon premier mari, le premier ou le deuxième ? je ne sais plus, en tout cas ce n'était pas le tien, il partait avec nous pour t'aider mais tout s'est mal passé. Me voilà loin de Fès, loin du plus beau cimetière du monde, loin de Moulay Idriss, le saint de la ville, et je suis seule, je parle seule, mais qui es-tu toi qui me souris ? Ah, tu es revenu ! Mais pourquoi tu ne dis rien ? tu as rajeuni, ta peau est lisse, tu as perdu tes rides, mais tu n'as plus d'yeux, c'est quoi ces boules blanches à la place des yeux ? Mais réponds, dis quelque chose ! D'habitude tu es bavard, tu parlais tout le temps et tu ne me laissais jamais placer un mot. Je vais en profiter, je vais te dire tout ce que j'ai sur le cœur depuis tellement longtemps. Écoute-moi bien, je ne suis pas mauvaise ni médisante, j'ai tendance à geindre un peu, à me plaindre comme les enfants, là, je vais te parler avec tout le respect qu'une épouse doit à son mari : je n'ai pas été heureuse avec toi ; je n'ai pas vu le soleil en ta compagnie ; tu ne m'appelais jamais par mon prénom, tu ne pouvais pas dire Lalla Fatma, ou à la rigueur Fatma, je me serais contentée de mon seul prénom, le Lalla, je le laisse aux princesses ! j'ai tout le temps manqué d'argent, je sais tu n'en avais pas beaucoup, mais tu étais avare, excuse-moi si je suis brutale avec toi, mais je sens le devoir de tout te dire, peut-être que le mot « avare » ne correspond pas, tu étais économe, tu avais peur de manquer d'argent et de devoir emprunter chez ton frère qui était riche et plus avare que toi, tu n'as jamais fait fortune, on ne manquait de rien, on avait juste le nécessaire, on ne mourait pas de faim, mais je n'avais pas de quoi acheter des caftans et des bijoux. Quand il y avait une fête, je demandais à ma petite sœur de me prêter ses affaires. J'en ai pleuré et toi indifférent, nerveux, la main sur ton crâne chaud parce que tu souffrais de migraine, tu ne me regardais même pas. J'étais ta femme et aussi ta domestique. Tu aimais te faire servir et je baisais ta main droite comme je le faisais avec mon père. Tu aimais cette soumission et tu manquais de tendresse avec moi. Quand je voyais comment mes frères et ma sœur vivaient avec leurs conjoints, je ne pouvais pas m'empêcher d'avoir les larmes aux yeux en pensant à ma condition. Dis-moi aujourd'hui la vérité : est-ce que tu m'aimais ? Tu ne m'as jamais montré le moindre signe d'amour. Tu étais gêné quand je te parlais de notre vie commune, tu détournais la conversation. Tu aimais recevoir et surtout faire de l'humour sur les absents. Ce n'était pas très gentil, mais ma famille appréciait ton esprit, ton ironie. Tu la faisais rire et moi tu ne me faisais jamais rire. J'aurais tellement voulu que tu me fasses rire, que tu t'amuses avec moi, que tu plaisantes... ah, je sais tu disais que je ne comprenais pas ton humour, que je n'étais pas capable de tout comprendre... à présent que nous sommes presque à égalité, toi dans le cimetière, moi étendue sur ce lit attendant la mort, on peut tout se dire, mais tu n'as plus la parole, tu n'es qu'une apparence, une belle figure, une belle allure, et moi je radote, tiens donne-moi à boire, non, pas de lait, mais de l'eau, tu sais bien que je ne supporte pas le lait le matin, merci, aide-moi à me relever sinon je risque d'avaler de travers et là c'est pénible, que de fois tu as failli mourir parce que tu as bu vite et une gorgée d'eau est allée de l'autre côté, c'est dans la famille, la panique, l'impatience, vous voulez avoir tout tout de suite, non, mon homme, je fais attention, je vais boire lentement, alors tu te dépêches ? Mais yemma, j'arrive, prends ton médicament en même temps, c'est pour l'hypertension, oui, tu es tendue, comme ton fils, le sang fait pression sur les artères, il faut le calmer, d'accord mon homme ! suis fatiguée ! j'attends ! oui, à toi je peux le dire : j'attends le grand départ, tu es mon fils, n'est-ce pas, il y avait tout à l'heure ton père venu voir si j'étais prête, j'ai oublié de lui dire que j'étais lasse et que j'avais envie de le rejoindre, j'ai mal fait, je n'ai pas cessé de lui faire des reproches, j'ai profité de l'occasion pour lui dire tout ce que j'avais sur le cœur, alors à toi, je te dis, j'en ai assez d'attendre, on dirait que quelqu'un m'a déposée sur le quai d'une gare et j'attends le train, mais j'ai l'impression que cette gare est condamnée, il n'y a plus de train qui passe par là, elle est couverte de mauvaises herbes, il y fait froid, il y a des courants d'air, des gens étranges qui passent puis tombent, on ne les ramasse même pas, on les abandonne, c'est une gare parce que je vois bien les rails, il y a même un wagon tout seul, abandonné sur la voie, je crois même que c'est devenu le repère des pauvres, des gens qui n'ont pas où loger, mais moi je suis dans ma maison, que faire, je suis là et je regarde le mur en face, le mur n'est qu'un amas de pierres, il ne me répond pas, ce n'est pas un miroir, j'observe tout autour de moi et je pense à l'avenir, oh, pas le grand avenir de mes petits-enfants, mais le mien, partir, vous laisser et ne plus être une charge pour vous, je sais, toi, tu es patient, tu ne t'énerves pas, tu es là parce que tu m'aimes et l'amour que j'ai pour toi a envahi mon cœur et déborde de partout, c'est ainsi, je n'ai pas choisi, mais quand je pense à toi, j'ai le cœur qui palpite et qui se remplit d'amour jusqu'à s'y noyer. Oui, mon affection est une inondation, excuse-moi, mais je sais que cela te pèse, tu me l'as déjà dit une fois. J'attends, et je vois la lumière magnifique, c'est le visage de notre Prophète, une lumière éblouissante, c'est ça la mort, on part sur les rayons de cette lumière et on est soulagé, on ne souffre plus, on est apaisé, rien qu'à y penser je me sens mieux, je me sens un peu apaisée, tiens, j'ai sommeil, je vais m'endormir un peu, peut-être que je ne me réveillerai pas, comme ma mère, elle est partie dans son sommeil, elle avait toute sa tête, elle n'a jamais déliré comme moi, tu sais bien que je délire, alors ne fais pas semblant de me rassurer, je t'ai bien dit tout à l'heure que ton père était là, eh bien c'est du délire, ton père est mort il y a dix ans, deux mois et trois jours ! Les morts ne voyagent pas, mais ce que je vois n'existe peut-être pas, c'est ça, j'ai des visions, comme les malades fiévreux, je vois ce qui n'est pas là, je parle à des fantômes, à des apparences, oh la la, ton père n'aurait pas aimé être comparé à une apparence encore moins à un fantôme, non, j'exagère, c'est l'effet de la gare déserte et aussi l'effet des médicaments, surtout ceux qui me donnent une somnolence lente et étrange, ils calment mes nerfs et me font voyager... Je n'ai peur de rien dans ces virées, j'oublie la douleur et je me promène. Tu vois mon fils, c'est comme ça qu'on part et on ne revient pas. Faut que tu sois là, faut que tes frères et ta sœur soient présents, c'est important pour moi et aussi pour vous, parce que une fois morte, vous m'oublierez, c'est normal, vous garderez de moi une image, sereine et apaisée. Le vendredi faites l'aumône, donnez aux pauvres, lisez quelques versets sur ma tombe, je sais, tu n'aimes pas aller sur les tombes, alors ne viens pas, je sais que je suis dans ton cœur et je n'ai pas besoin de toi dans le cimetière. Moi aussi je ne suis pas allée souvent sur la tombe de mes parents, ils sont enterrés à... je ne me souviens plus s'ils sont enterrés ici à Fès ou là-bas à Tanger, mais où suis-je ? Rappelle-moi où nous sommes, l'autre crie de la cuisine « Tanger », elle écoute tout ce que nous disons, elle doit travailler avec la police, mais je n'ai plus peur, oui, de quoi je te parlais, de mes bijoux volés ou de la circoncision de ton fils, tu vas le circoncire, sinon, il ne sera pas musulman...

Je parle trop. C'est le vide qui me fait parler. Quand tu es là, je parle tout le temps, je te raconte pour la dixième fois la même histoire, je me répète, oui je dis et redis les mêmes choses. Tu me pardonnes, mon fils, toi tu comprendras, pas les autres, ma fille s'énerve et me reproche de répéter les mêmes récits, elle me dit que je perds la tête puis s'en va à la cuisine et me laisse toute seule. Alors je continue de parler comme si elle était là. Je ne suis pas folle, juste fatiguée.

20

Ma mère m'a demandé l'autre jour pourquoi je ne vais jamais sur la tombe de mon père. Parce que je n'arrive pas à me concentrer sur un morceau de marbre. Je lis et relis la pierre tombale et je pense à autre chose. Je préfère porter en moi l'image de cet homme dont je rêve souvent. Mieux que cela, je pense à lui et je constate que je lui ressemble de plus en plus. J'ai les mêmes manies, les mêmes colères et peut-être la même rage. Oui, comme lui je ne supporte pas la mauvaise foi, la trahison, l'injustice et l'hypocrisie. Moi non plus, me dit ma mère. Mais il exagérait, tu as oublié mon fils ses colères à partir de rien, un plat trop salé ou une fenêtre qui ne ferme pas. Je subissais ses humeurs, oui, je ne disais rien, je laissais passer la tempête. Mais une fois il avait dépassé les limites, tu étais là, je me sentais protégée par toi, je me sentais forte, alors je lui ai dit tout ce que je pensais de lui et de son mauvais caractère, il m'a menacée, je crois qu'il a levé le bras pour me frapper, je suis sortie de la maison comme une folle, sans djellaba, je n'en pouvais plus, j'étais dehors ne sachant où aller. Tu es arrivé suivi par ton frère et vous m'avez ramenée à la maison. Je me souviens tu avais invité une jeune femme, une Européenne et j'avais honte. Je dois reconnaître qu'il ne m'a jamais frappée. Sa langue frappait plus que les mains. Il ne savait pas retenir sa hargne et ses rancœurs. Il était malheureux, souvent jaloux des gens qui réussissaient mieux que lui dans le commerce. Il avait l'habitude de rappeler que tel millionnaire travaillait dans son magasin à Fès comme apprenti. Je n'aimais pas cette aigreur. J'espère que tu ne lui ressembleras pas dans ce domaine. Ma bénédiction et mes prières te protégeront contre le mal qu'on cherchera à te faire. Mais on ne sait jamais, les gens sont changeants, celui qui t'embrasse aujourd'hui sera celui qui te mettra un couteau dans le dos, que Dieu nous préserve des gens mauvais, il faut que je prie pour toi et tes frères. Je sens que tu en as besoin, je vois des ombres tourner autour de toi, mais ne crains rien, tu es entre les mains de Dieu, sous le regard de Dieu, dans mes yeux, dans mon foie, dans mon cœur, tu es dans mes pensées les plus fortes, celles qui vont de mon cœur à Dieu le Très-Haut, Celui qui guide nos pas et qui éloigne de nous les égarés, les gens sans scrupules, ceux qui profitent de notre bonté, de notre confiance, ceux qui ne sont pas rassasiés par la vie, par le ciel, par Dieu. Ton cœur est blanc comme la soie, tu n'as rien à craindre, Dieu te mettra au-dessus de ceux qui ont les yeux pleins d'envie... Tiens, je n'ai pas pris mes médicaments. C'est un coup de Keltoum. Elle a envie de se débarrasser de moi. Elle m'a dit hier que la pharmacie ne veut plus nous faire crédit. Elle a des factures non payées. Tu crois ça, le pharmacien ne peut pas faire ça, c'est Keltoum qui invente cette histoire pour ne pas me donner mes médicaments. Elle est ignorante. Ton père détestait l'ignorance. Il disait que tout le mal vient de là. Que faire, mon fils ? Tu as parlé avec le pharmacien. C'est bien, je savais que tu le ferais. Tu sais, je râle contre Keltoum mais je ne supporterais pas de la voir s'en aller. Elle le sait et me fait du chantage, elle me fait pleurer, elle met sa djellaba et me dit qu'elle me quitte, tu te rends compte le calvaire ? elle est la seule à connaître mes médicaments, la seule à m'accompagner à la salle de bains, elle fait ma toilette mais elle n'est pas douce, elle crie souvent et me fait peur. Mais ma propre fille n'accepte pas de s'occuper de ma toilette. Alors je supporte le mauvais caractère de Keltoum. Parfois je me dis qu'elle est mon quatrième mari, tyrannique, colérique, jamais contente, sauf quand tu es là et que tu lui donnes de l'argent en plus de son salaire. Pourquoi ne t'installes-tu pas ici, tout près de moi, je te verrais tous les jours et je n'aurais plus peur des tours que me joue Keltoum ? Dis-moi, viens habiter dans cette maison, elle est grande, tu as toujours ta chambre. Ah, oui, j'ai oublié, tu es marié et tu as des enfants, tu vis loin, comment s'appellent tes enfants, et puis combien sont-ils ? Laisse-moi deviner... Ah, l'oubli, le satanique oubli, l'ennemi, celui qui me vole tout, il arrive comme ça et il me pique mes souvenirs, de quel droit ? Dis-moi toi qui as étudié, pourquoi on oublie ? Donc je disais que ton père n'est pas venu me voir cette semaine et que mon petit frère ne cesse de chanter dans la cour sans oser pousser la porte et venir me tenir compagnie, je sais, sa femme le lui interdit, donne-moi à boire, j'ai soif et puis il faut que je fasse ma prière. Je l'ai déjà faite ! Je ne m'en souviens pas, tu m'as vue prier ? Ça va pas mon fils, alors éteins la télévision et viens lire le Coran à mes côtés. Tu préfères que ce soit ton grand frère, lui connaît mieux que toi le Coran... Pourtant tu es allé au M'sid, l'école coranique de Bouajarra à Fès, tu as oublié, non on ne peut pas oublier le M'sid et puis Fqih Meftah, celui qui n'avait qu'un œil et qui voyait tout... il était sévère, avait toujours un bâton pour réveiller ceux qui s'endormaient. Tu ne te souviens pas de Fqih... comment s'appelle-t-il déjà ? aide-moi, j'ai dit son nom il y a cinq minutes... Fettah... Fellah... Mftouh... Fettouh... F... Je l'ai vu hier, il m'a apporté une belle botte de menthe fraîche, c'est un homme bon, comment s'appelle-t-il ? Il va repasser pour me donner les bons pour qu'on aille chercher l'huile et la farine ; bientôt ce sera la fin de la guerre, j'espère mon fils qu'il n'y aura plus de bons pour manger... Quoi ? tu n'étais pas né à l'époque des bons ? Mais... si, tu avais vingt ans et tu voulais épouser... comment s'appelle cette fille à la longue chevelure ?

Ma mère s'est assoupie en cherchant le nom du maître d'école coranique. Il y a ainsi des absences, des moments où elle s'en va, les yeux mi-clos, la bouche ouverte, la tête penchée. Je n'aime pas la voir dans cet état. On dirait un objet mal fagoté, une chose qui ne tient pas, se laisse aller, s'étale et devient insignifiante... ma mère respire... je surveille sa poitrine et j'attends.

Cela me rappelle l'année 1977 où elle a été opérée de la cataracte à l'hôpital de Salé. Elle est restée trente jours les yeux bandés, couchée sur le dos. Je passais beaucoup de temps avec elle. Il fallait la surveiller pour qu'elle n'arrache pas les pansements. Mon frère venait en fin de journée, après le travail. Moi, j'étais là, j'étais forcément disponible, pas de patron, pas d'enfants. Un écrivain est maître de son temps. Je lui parlais, elle me racontait des histoires de famille tout en me demandant de ne pas les écrire ou bien de ne pas nommer les gens. À l'époque j'écrivais *Moha le fou, Moha le sage*. J'étais en colère. Le Maroc était devenu un État policier avec la complicité de ceux qui disaient ne pas faire de politique et qui s'enrichissaient sans vergogne, faisant de la corruption un système de vie. Je me souviens de ces moments où la rage au cœur, un œil sur ma mère qui dormait, l'autre sur mon cahier, j'écrivais nerveusement. Ma mère n'avait pas idée de ce que j'écrivais. Elle entendait le bruit du stylo sur la page et me disait « fais attention, j'ai peur pour toi ! ». Je la rassurais, puis elle me demandait si le fils aîné de notre voisin avait été retrouvé, si ses parents avaient eu de ses nouvelles. Sa disparition la préoccupait. Elle se mettait à la place de ses parents et ne comprenait pas pourquoi un jeune homme qui n'avait rien fait de mal avait, du jour au lendemain, disparu. Elle ne parlait pas du roi ni de ses ministres. Elle disait que la police est cruelle et qu'elle n'a pas de cœur. Elle pensait au fils des voisins, arraché à sa famille par des policiers en civil. C'est ça un État policier : l'arbitraire, la violence et la cruauté. Que de mères ont souffert et probablement sont mortes de douleur à cause d'un ordre donné par la police pour faire disparaître un de leurs enfants qui avait manifesté pour la justice et la démocratie ! Le Maroc a connu des années noires où on réprimait toute opposition, même la plus banale, non violente, celle des idées.

Mon fils, éloigne-toi de la politique, reste à l'écart, tu vois ils ont voulu tuer le roi, ils ont tué beaucoup de gens durant son anniversaire, mais lui, Dieu l'a protégé, ils ont recommencé l'année d'après, je m'en souviens très bien, nous avions tous très peur, s'ils avaient réussi à le tuer, ils nous auraient tués aussi, je sais, nous ne faisons pas de politique, mais toi, tu as été puni, alors avec les gens de l'armée, on ne discute pas. Quelle époque ! La peur, partout la peur, les mendiants, les domestiques qui espionnent les familles, tout le monde se méfiait de tout le monde, tu te souviens d'un client de ton père, lui aussi a été arrêté et mis en prison parce que son frère était dans l'armée et je crois avait participé à la tuerie, on punissait toute la famille. Que Dieu nous préserve de l'armée et de ses méthodes.

Elle se souvient bien de cette période. L'épreuve de l'opération des yeux ne peut s'oublier. Elle en parle encore : j'ai souffert, surtout le fait de rester immobile sur le dos, être plongée dans le noir, ne pas relever la tête, je me souviens, tu étais là, tu écrivais, et moi je pensais à ce pauvre Miloud, disparu. Ton père râlait parce qu'il était resté seul à Tanger, je pensais à lui et j'avoue que le fait de ne pas le voir durant un mois me reposait. Le mariage, mon fils, c'est aussi cette habitude qui s'installe et qui devient une corvée ou un calvaire. Je pensais à ma santé, lui pestait parce que la bonne ne cuisinait pas aussi bien que moi. Il avait une drôle de façon de rendre hommage à mes talents culinaires ! Enfin, tout ça est loin, et ton livre qu'est-ce qu'il est devenu ? Tiens donne-moi mes lunettes, je vais regarder la télévision, c'est vendredi, on doit retransmettre la prière de midi. Mais yemma nous sommes lundi et la télévision ne transmet pas la prière mais passe un feuilleton mexicain parlant en arabe classique. Je sais, ma vue baisse, mais mon ouïe est excellente, j'entends bien le Coran, n'est-ce pas, c'est le Coran qu'on lit ? Non, yemma, personne ne lit le Coran, c'est dans ta tête, tu entends des prières lointaines... Alors c'est que mon jour est arrivé, il faut préparer le salon et inviter les tolbas pour lire le Coran sur mon corps, je vais m'en aller dans la journée, il faut te tenir prêt, je veux une belle soirée avec les meilleurs tolbas de la ville, qu'ils lisent et chantent les belles paroles de Dieu, qu'ils soient bien reçus, bien payés et surtout qu'ils partent contents et rassasiés, faut leur donner à manger, peut-être que ce serait bien de prévenir un traiteur, il paraît que c'est rapide et efficace, maintenant les traiteurs règlent les problèmes, surtout dans les funérailles, tu imagines, les gens sont frappés par le malheur et ils n'ont pas le cœur ni le temps pour préparer le dîner pour tous les gens qui affluent des villes pour les condoléances. Donc, le traiteur, ensuite, la lecture des paroles de Dieu, n'oublie pas l'encens du paradis, approche, il faut que je te dise, j'en ai mis de côté et je l'ai caché justement pour le jour de mon départ, il faut que tu saches où je l'ai planqué, où... Oh, je n'arrive plus à m'en souvenir, quel drame, tu te rends compte, ma mémoire me lâche juste au moment où j'en ai le plus besoin, c'est un encens que ma fille m'a ramené de La Mecque, il est extraordinaire, très fort, très parfumé, sublime, mais je n'arrive pas à me rappeler la cachette, faut que tu le cherches, ne demande pas à Keltoum, elle est capable de le voler, va fouiller dans l'armoire, dans les tiroirs, tu verras, il est dans un mouchoir blanc, mon Dieu, aide-moi à me rappeler...

Mais yemma, je t'en achèterai... le principal c'est qu'il y ait de l'encens du paradis, ne t'en fais pas, tu auras une belle cérémonie, je te le promets, tu peux dormir en paix, je m'en occuperai avec mes frères...

Chaque fois que ma mère s'ennuie, elle parle de ses funérailles ; ça l'occupe, ça la rassure et surtout elle insiste pour les détails de la cérémonie, elle en fait une question d'élégance et de dignité, faut partir avec légèreté, éviter de peser sur la famille en lui créant des problèmes, laisser un bon souvenir, une belle impression. Elle est persuadée que la mort est logique ou plus précisément elle souhaite qu'elle le soit : il ne me reste pas beaucoup de temps à vivre, c'est normal, la mort est un droit, mais il ne faut pas qu'elle se trompe et qu'elle emporte l'un de mes enfants, c'est le malheur que je ne supporterai pas une seconde, que Dieu me rappelle à lui en votre vie et pas l'inverse... bon, je le souhaite, je prie tout le temps pour ça, mais qui sait quelles sont les intentions de Dieu, personne n'osera les deviner, en tout cas pas moi, mon père m'avait appris à ne jamais penser à Dieu autrement qu'en priant, j'ai toujours prié, le problème aujourd'hui c'est que mes ablutions ne sont pas faites, je ne peux plus prier autant qu'avant. Je fais les ablutions avec la pierre polie, tu sais la pierre noire, mais où est-elle ? Je l'ai encore perdue, cherche avec moi, regarde sous les draps, parfois elle glisse sous la couverture et tombe de l'autre côté du lit, ah ! Cette pierre sacrée, elle remplace l'eau, il suffit de la passer sur les bras et les mains, c'est comme si on se lavait, bon tu l'as trouvée ? C'est sûrement Keltoum qui l'a rangée, va savoir où ! ta sœur est repartie chez elle, elle s'ennuie ici, elle dit que notre télévision n'a pas de bons programmes, en fait elle est repartie parce qu'elle ne s'entend pas bien avec Keltoum, elles se disputent souvent, et moi je suis au milieu, j'observe tout ça sans rien dire, car ma fille m'en voudra si je prends parti pour Keltoum et Keltoum me quittera si je donne raison à ma fille, tu te rends compte quel problème, bon, la pierre noire, tu l'as trouvée ? Tu vois je me souviens bien, je n'ai pas perdu la mémoire, mais avec l'âge les vieux souvenirs reviennent, hier par exemple j'ai vu ma mère, elle est très élégante, elle m'a dit qu'elle ne prend plus de médicaments parce que le Prophète l'a soignée, elle a de la chance, toi, par exemple, tu es mon demi-frère, tu es mort l'été chez ta fille alors que tu passais des vacances dans sa maison sur la plage, rassure-toi, tu es vivant, je te parle et tu regardes ailleurs... Je sais, tu vas me dire que tu es mon fils, mon petit dernier, que je te confonds avec quelqu'un d'autre, mais c'est pas grave, le principal c'est de passer le temps ! Il pleut ; je n'aime pas la pluie ; je n'aime pas le vent ; je n'aime pas le froid ; je ne sais quoi faire, je parle trop, c'est ça mon homme, je suis bavarde, je vais me taire, je m'isole pour prier, ensuite je te bénirai, toi et tes frères.

21

J'essaie de penser à ma mère morte. Je fais un effort pour anticiper ce qui risque d'arriver. J'imagine son lit vide, sa chambre non rangée ou au contraire vidée de ses meubles, je vois son chapelet par terre, deux ou trois boîtes de médicaments jetées dans un coin, je vois le néant envahir ma vie, empêcher le sommeil, me donner des douleurs diffuses, je regarde mon visage dans le miroir et je me rends compte que j'ai vieilli, j'ai soudainement vieilli, j'ai pris de nouvelles rides, mes yeux sont tristes, sans lumière, sans présence. Ma mère ne vit plus là où je l'avais laissée la dernière fois. Elle est partie. J'entends encore son médecin, mon vieil ami Fattah, me dire au téléphone, faut que tu rentres au plus tôt, je ne sais pas combien d'heures Dieu va lui accorder, mais fais vite, tu me connais, je ne te dérange pas pour rien, je ne dramatise pas, elle est au plus mal, le cœur, oui c'est ça, le cœur a encore trébuché, alors à tout de suite. Ou alors, le pire, c'est un message sur l'un des répondeurs :

Dieu s'est emparé de son bien ! message métaphorique mais assez clair, en arabe on ne dit pas décédé, on n'écrit pas sur une fiche DCD, non, on choisit ses mots, on essaie d'enrober le malheur de formules religieuses plus ou moins précises du genre Dieu a repris ce qu'il avait donné, ou bien elle est partie chez Dieu comme on dirait elle est partie en voyage chez un membre de sa famille, on dit aussi pour la grâce de Dieu. Il faut attendre quelque temps avant de prononcer ces paroles : « elle est morte ».

Je ne suis pas superstitieux. J'écris ces phrases et je pense fortement à ma mère. Nous sommes un mardi de décembre. Ma mère n'aime pas ce jour de la semaine. Elle a toujours évité de voyager ou de faire quelque chose d'important un mardi. Je la vois dans sa chambre, la lumière faible, la télévision allumée, c'est le ramadan, quelqu'un lit le Coran, elle appelle Keltoum juste pour qu'elle soit à ses côtés. Elle se plaint parce qu'elle pense que je l'ai oubliée, mon dernier appel date de trois jours. Je n'aime pas téléphoner tous les jours. Je m'efforce de ne pas l'habituer à ça et pourtant elle oublie et ne sait plus quand je lui ai parlé pour la dernière fois. Elle confond les temps comme il lui arrive de me prendre pour quelqu'un d'autre. Cela ne me choque plus. Je comprends cette incohérence, ces troubles, et je préfère ne pas les relever ni lui faire remarquer qu'elle délire. Un jour ma sœur s'est mise à tester sa mémoire l'obligeant à se rappeler les noms de tous ses petits-enfants et arrière-petits-enfants. Ce n'était pas gentil de la soumettre à un tel examen. Moi aussi j'ai un problème avec les noms. Je n'oublie pas les visages mais je ne retiens pas toujours les noms des personnes rencontrées. Je comprends qu'on puisse tout mélanger et ne pas se souvenir des noms de chacun. Ce n'est pas forcément un signe de folie ni même de vieillesse.

Je la vois belle et jeune sur la terrasse ensoleillée de notre première maison à Tanger, face à la mer. Elle regarde les maisons construites sur le flanc de la falaise. Elle remarque qu'il y en a de plus en plus et se dit les pauvres, ils vivent dans des conditions déplorables ! Elle est un peu grosse, sa forte poitrine et sa petite taille donnent l'impression qu'elle a grossi. Elle n'aime pas le vent d'est qui s'approche des côtes marocaines. À Fès on n'avait pas de vent ! Elle est persuadée que le vent a de tout temps épargné sa ville natale. Le vent d'est est la colère la plus radicale de Tanger, il nettoie tout sur son passage, fait fuir les moustiques, chasse les mauvaises odeurs et éloigne le mauvais œil. Il rend nerveux et provoque le mal de tête. Elle le craint parce qu'elle s'attend à affronter la mauvaise humeur de mon père.

Oui mon fils, à Fès, on n'avait pas de vent, ni de poussière, ni de gens qui se mettaient en colère à cause du mauvais temps, ici à Tanger, tout est différent, tu te souviens, mon petit frère me disait que Tanger était le pays des chrétiens, pour lui on n'était plus chez nous, au Maroc, mais déjà chez les Françaouis, je me sentais comme une étrangère, c'est normal, je n'avais pas d'amies ni de parents vivant à Tanger, Fès me manquait, ma famille me manquait, le mausolée Moulay Idriss me manquait. Tanger était pour moi une ville qui m'a tout pris, ma jeunesse, ma famille et puis elle ne m'a rien donné. Je n'y ai vécu que des contrariétés, ton père était tout le temps de mauvaise humeur, son frère n'était pas gentil avec lui, enfin, ils sont tous morts, que Dieu soit clément avec eux. J'ai supporté beaucoup de choses, je ne disais rien, ma mère m'a donné une bonne éducation. Tiens, il faut que je l'appelle, ma mère doit être toute seule à présent dans le pays... quel pays ? aide-moi, je l'ai vue la semaine dernière, elle était resplendissante, je crois qu'elle est dans le cimetière de Fès, mais elle est venue me voir, elle qui n'aime pas Tanger, aide-moi, où est-elle ? Tu la vois ? Parle-lui, dis-lui que je suis fatiguée et que si le train part, je la rejoindrai, tu me dis qu'il n'y a pas de train ? Mais je sais qu'il n'y a pas de train ni de bateau, mais que nous devons tous prendre un moyen de transport pour rejoindre le visage lumineux de notre Prophète. Je vais faire ma prière. Les images de notre arrivée à Tanger ne me quittent plus. Il faut que je les sorte pour m'en débarrasser, tu étais petit, je ne sais plus, nous avons logé dans l'arrière-boutique de ton père, enfin, ton oncle avait trouvé une boutique pour dépanner ton père, mais derrière il y avait une maison, elle était sombre, toi tu dois t'en souvenir, car tu pleurais souvent la nuit, tu faisais des cauchemars. C'est une maison qui m'a beaucoup épuisée. Tanger était à l'époque entre les mains des chrétiens, je n'ai jamais su compter en pesetas. Les femmes du Rif comptaient en rials, mais je n'arrivais pas à savoir le prix des choses, et je ne comprenais pas pourquoi tout le monde n'utilisait pas l'argent de Fès.

Non, ma mère n'est pas morte. Il suffit de l'appeler et je l'entendrai me dire : mon fils, lumière de mes yeux, le foie de mon cœur, toi qui as toujours pris soin de moi, tu ne m'as jamais délaissée ni oubliée, toi, qui m'as toujours secourue, que serais-je sans toi, je crois que je ne serais plus si tu n'étais pas là, présent, la main ouverte, généreux, prêt à tout pour me porter sur les cimes, pour que je ne souffre pas et surtout pour que je ne manque de rien, toi mon fils, Dieu te récompensera comme tu le mérites, je sais que ta fortune c'est ta bonté...

22

J'arrive à Tanger quelques jours avant la fin du ramadan. Nous sommes en décembre. L'Andalousie connaît des inondations. Il pleut sur Tanger. Le jeûne rend les gens nerveux et même agressifs, surtout en fin de journée.

Ma mère refuse de manger et surtout de prendre ses médicaments. Elle dit c'est ramadan, il n'y a que les infidèles pour oser manger entre le lever et le coucher du soleil. Keltoum lui rappelle qu'elle est malade et que Dieu pardonne aux personnes souffrantes qui ne jeûnent pas. Ma mère proteste et refuse de s'alimenter. Excès de foi ou nouvelle incohérence ? A-t-elle simplement oublié qu'elle est malade comme elle a oublié que ses parents, ses frères et son mari sont tous morts ?

À mon arrivée elle me reçoit sans grand enthousiasme. Je suis un étranger ou un de ses frères avec lequel elle serait fâchée. Elle ne m'a pas reconnu. Je suis un peu déçu. Je ne proteste pas, cela ne sert à rien. Je lui demande qui je suis. Mais tu es Aziz, tu viens me voir un jour sur deux, ta femme est tout le temps malade, tes enfants se sont mariés sans te prévenir, tu ne vas plus au magasin, tu passes ton temps avec ta femme à la maison, tu dois t'ennuyer beaucoup...

Puis elle enchaîne en pleurant : tu sais ta tante, ma sœur, ma petite sœur, elle est morte ; elle est venue me rendre visite la semaine dernière, elle était en bonne santé, elle parlait, riait, m'a fait rire, tu sais, elle est morte dans son sommeil, elle a dîné, une soupe légère, a fait sa prière puis la mort est venue et l'a emportée, c'est curieux, elle est encore jeune, je la vois là, face à moi, elle est dans mes yeux, on dirait qu'elle va me parler, ce n'est pas juste, mais c'est la volonté de Dieu...

J'ai failli la croire. Après tout c'est plausible. Elle en a parlé avec conviction. Keltoum me fait signe qu'elle délire. Je téléphone à ma tante à Fès et lui demande de rappeler ma mère pour la rassurer, lui dire qu'elle vit encore et qu'elle se porte bien. Ma tante éclate de rire et me promet de l'appeler sur-le-champ.

La maison est tout enveloppée de tristesse. C'était une belle demeure entourée d'un petit jardin. Elle n'était pas une maison traditionnelle mais avait un charme désuet, quelque chose d'apaisant. Mes parents venaient de quitter une maison qui donnait sur la mer, en haut de la falaise du Marshane. Ma mère ne l'aimait pas à cause du vent d'est fréquent et du voisinage. Là, ils étaient protégés. Mon père disait que c'était une maison solide ; il était fier de l'avoir achetée au rabbin de Tanger.

Elle se trouvait au fond d'une impasse, face à une petite villa occupée par un vieux couple de Français. Ma mère les appréciait parce qu'ils ne faisaient pas de bruit et surtout ne jetaient pas leurs immondices devant sa porte. Elle leur disait bonjour en français tout en riant et leur offrait de temps en temps un plat de gâteaux.

Avec le temps les murs se sont fissurés, la peinture s'est écaillée, la plomberie s'est détériorée, le bois des portes et fenêtres a joué ; la maison n'était pas entretenue. Mon père n'avait pas les moyens de tout réparer. Ma mère en souffrait. La maison était à l'image de leur état de santé : tout se dégradait lentement et on n'y pouvait rien. Il est arrivé même que mon père s'identifie à la maison un jour de forte fièvre *moi aussi je suis fini, je suis fissuré de partout, la tuyauterie est encombrée, la tête a des fuites, les jambes tiennent à peine, je refuse de marcher avec l'aide d'une canne, ma vue ne cesse de baisser, ça m'arrange, je ne vois pas les choses qui me dérangent, tout me quitte, je suis une maison abandonnée, vide, une maison sans toit, sans portes, je fais de mauvais rêves, si j'avais de l'argent j'aurais tout réparé, tout restauré, j'aurais fait de cette maison un petit palais, enfin, je ne suis pas roi, juste un vieil homme qui s'écroule sous le poids des charges et du temps de plus en plus impitoyable, je suis une maison qui tombe en ruine... Rien ne marche, le téléphone est en panne, il date du temps des*

Espagnols, il faut tout le temps rafistoler les fils, ils sont tellement vieux qu'on n'en trouve plus chez Madani le droguiste qui vend tout, c'est dire combien le temps a rongé les choses dans cette maison qui se meurt avec moi...

Les fenêtres du salon sont ouvertes pour chasser l'odeur de l'humidité. Mais il n'y a rien à faire. L'humidité habite cette maison depuis longtemps, elle suinte de partout et accentue la pesanteur de la tristesse. Keltoum et l'autre femme de ménage sont excédées. Ma mère devient de plus en plus difficile. Je le vois à leur mine défaite et à leur agacement. Elles n'en peuvent plus. L'une me dit j'ai besoin de vacances, envoie-moi à La Mecque, j'oublierai cette misère. L'autre ne dit rien mais voudrait bien s'en aller, elle n'ose pas, elle avait fait un pacte avec ma mère de ne jamais la quitter.

Ma sœur est partie pour la cinquième fois à La Mecque. Mon frère me dit qu'elle a trouvé un bon prétexte pour ne pas s'occuper de sa mère. Je le prie de ne pas juger les autres. Il en convient. Il me dit qu'il lui arrive d'imaginer ma mère dans une maison de repos, un asile pour personnes âgées et malades. Puis il se ravise, non, je ne la vois pas dans une chambre entourée d'infirmières ; elle pensera qu'elle est dans un hôpital ou une clinique et son moral déclinera. Non, ce n'est pas possible, ce n'est pas faisable. Moi non plus je ne la vois pas ailleurs qu'en sa maison. Je me mets près d'elle, je lui tiens la main tout en regardant les dessins étranges tracés par les fissures dans le mur. J'aime lui tenir la main, chose que je n'ai pas faite depuis l'enfance. Elle est lucide et calme. Elle me serre la main. Elle me parle de mon fils handicapé : que disent les médecins ? parlera-t-il un jour ? que Dieu le protège et lui donne la parole ; faut patienter, ce sont des enfants bons, un don de Dieu, Dieu nous met à l'épreuve, il veut savoir comment on se comporte avec un enfant pas comme les autres, c'est important de le savoir mon fils, ce sont des anges incapables de faire de mauvaises choses ; à Fès on leur rend visite comme des saints, on voudrait qu'ils nous donnent un peu de leur bonté ; c'est un don de Dieu, il faut le protéger, le suivre partout, ne jamais le laisser seul, mais que disent les médecins de France ? Donnent-ils un espoir ? A-t-il été circoncis ? Ah, bon, je ne m'en souviens pas, ça s'est passé chez moi, dans cette maison, j'ai oublié... Avez-vous fait une fête ? C'est important la circoncision, nous sommes des musulmans, n'est-ce pas ? Cet enfant m'aime beaucoup, il m'embrasse doucement, me tient la main et sait que je suis malade, il me dit des choses que je ne comprends pas ; il faut l'emmener chez Moulay Idriss à Fès, tu iras de ma part, notre saint, le patron de Fès, tu feras des prières, et notre saint Moulay Idriss lui donnera sa bénédiction ! Nos voisins ont un garçon comme lui. Ils le laissent seul dans la rue, il lui arrive de pousser notre porte et de s'asseoir avec nous à table, il mange et quand il n'a plus faim se lève et s'en va. Mais notre fils ne fait pas ça, il ne va pas chez les gens qu'il ne connaît pas. Il faut faire attention à cet ange ! Tu as combien d'enfants ? Je sais, tu me l'as déjà dit, mais ma mémoire me joue des tours, donc tu as des enfants, et ta femme, où est-elle ? Pourquoi ne vient-elle pas plus souvent ? Ah, elle est là, à côté de toi, je ne l'ai pas vue, dis-lui que ma vue baisse de plus en plus, tiens approche, donne-lui ce bracelet, elle le garde pour le jour du mariage de ta fille, ma mère me l'a donné hier, elle est venue me voir, elle était toute blanche, elle ne parlait pas, elle s'est approchée de moi et m'a glissé ce bracelet entre les mains puis elle a disparu, elle me joue des tours, je le dirai à mon père quand il reviendra de La Mecque.

Avec la fin du ramadan, les choses sont redevenues presque normales ; il y a moins de tension à la maison. Keltoum est soulagée parce que j'ai prolongé mon séjour. Ma mère ne se souvient plus depuis combien de jours je suis à ses côtés. Elle réclame de voir les enfants, pas les miens, les siens, ceux que je ne connais pas, ceux qu'elle a inventés, elle me parle des grands qui viennent manger puis partent sans lui adresser la parole, elle se demande où sont passés les tout-petits, ceux qu'elle a eus très jeune. Je la rassure, ils sont à l'école. M'sid, n'est-ce pas, ils sont dans la mosquée et apprennent le Coran, c'est ça yemma, ils sont à l'école coranique, nous sommes tous dans le M'sid de Bouajarra, nous sommes à Fès juste après la guerre, tu sais, l'époque où on mangeait avec des bons, il fait très froid cette année à Fès et le M'sid n'est pas chauffé, nous avons tellement froid que nos dents claquent et nous sommes incapables de retenir les versets du Coran, alors le vieux maître nous demande de réciter la sourate Yassine en chœur, il nous dit que réciter ensemble cette sourate réchauffe le cœur et le corps... On se collait les uns aux autres, certains sentaient mauvais, d'autres en profitaient pour pincer les fesses de ceux qui étaient devant eux, certains tentaient d'introduire le majeur dans l'anus, c'était un jeu et une humiliation, en sortant de l'école coranique, on montrait du doigt le malheureux qui s'était laissé faire, on le traitait de fille, suprême insulte, alors il se formait des clans, ceux qui étaient forts et qui avaient le droit de toucher les plus faibles, moi, j'étais épargné, malade et trop chétif, les forts me disaient que j'étais un sage et que je devais avoir le rôle du juge. Un jour j'ai reçu un coup de bâton sur le crâne, j'ai même saigné, le maître était en colère et nous frappait au hasard. Le soir mon père a pris un couteau de cuisine et a voulu le tuer. Les autres parents l'ont accompagné, le maître est sorti de chez lui, les mains derrière le dos, la tête baissée, signes de soumission. Il demanda pardon, mon père était soulagé car il ne se voyait pas utiliser son couteau.

Le M'sid était un lieu étrange où on apprenait par cœur le Coran tout en ne sachant pas lire et écrire.

Nos parents nous confiaient au maître et étaient tranquilles, sauf que ma mère déplorait le manque d'hygiène et les poux qu'elle trouvait dans mes vêtements. Alors elle me faisait raser le crâne. Je détestais cette épreuve, je pleurais, je tapais des pieds...

Ma mère ne tient plus debout. Elle est de nouveau tombée. Rien de cassé mais elle a mal partout. Elle souffre et me dit que ses os sont devenus transparents : ça ne tient plus, c'est comme du papier, non je veux dire de la pâte feuilletée croustillante, c'est ça, j'ai trouvé à quoi ressemblent mes os ; tu sais, je tombe souvent, il suffit que je lâche prise, mes jambes ne me portent plus, c'est moi qui les traîne comme de vieilles amies qui m'abandonnent, elles sont fatiguées de moi, de me porter, de ne jamais se reposer. Mes yeux me lâchent aussi. Ce n'est pas nouveau, mais chaque jour qui passe, il me prend un peu de ma vue, mes yeux meurent doucement, la lumière ne s'y arrête plus, elle file à toute allure, alors je dis que la lumière de mes yeux ce sont vous, mes enfants, tiens, ça fait longtemps qu'ils ne sont pas venus me voir, à moins que j'oublie, c'est ça, j'oublie, c'est dur de ne plus avoir de mémoire, c'est curieux, je suis visitée par des souvenirs venus de très loin, on dirait venus d'autres pays, je ne les reconnais pas, ce sont peut-être les souvenirs de quelqu'un d'autre, ils ont dû se tromper de maison, tiens par exemple, je me souviens de moi petite en train de monter à cheval, mais ce n'est pas vrai, jamais je ne suis montée sur un animal, c'est troublant ces images qui passent où tout se mêle, je te vois toi, tout petit puis je vois mon père te prenant dans ses bras, mais quand je m'approche ce n'est pas toi qui es dans les bras de mon père, et même mon père a un drôle de visage, c'est curieux, ce sont les médicaments que je prends qui me rendent folle, mais je ne me laisse pas faire, alors que veux-tu manger ce midi, je vais à la cuisine te préparer ton plat préféré, mais où sont passés les domestiques ? Tu vois mon fils, je les appelle, elles ne me répondent pas... Tiens encore des images traversent la maison, je ne sais plus ce que je dis, je ne vois pas grand-chose, c'est sombre, faut allumer les lampes. Depuis qu'on a déménagé dans cette maison, je suis privée de soleil ; on dirait que l'hiver habite chez nous, un long hiver. J'aimais cette saison à Fès quand le froid me mordait les doigts et le bout du nez. Je m'enveloppais dans plusieurs couvertures de laine et je grelottais en riant. Aujourd'hui les couvertures sont légères, elles sont vieilles, ce n'est pas de la laine mais une matière que je ne connais pas. Quand tu me tiens la main tu me réchauffes le cœur. Dis, je reste dans cette maison, tu ne vas pas me renvoyer dans l'autre, celle qui donne sur la mer ? Je ne l'aime pas, je sais que tu ne me laisseras pas mourir dans une chambre d'hôpital. Quel bonheur de te savoir là ! Cela fait longtemps que tu n'es pas venu, n'est-ce pas ? Vingt ans ? Comment ?

tu es là depuis un mois ! Alors je confonds tout, tiens, il faut que je te donne les bons pour l'huile, j'en ai besoin pour préparer ton plat préféré, va me chercher ce qu'il faut et fais attention, Fès est infesté d'étrangers qui font la guerre. Tu me parles de mon frère ? Non, de ton frère, ah, mon fils ! Oui, il vient de temps en temps, il travaille beaucoup, on ne le laisse pas venir, il faut qu'il demande un congé, tu sais il travaille dans... qu'est-ce qu'il fait ? Il est médecin ou bijoutier ? Non, yemma, il est ingénieur... Ah, oui, il est à Khouribga, phosphate, c'est ça, il descend sous la terre, il remonte et dit aux ouvriers ce qu'il faut faire. Ah ! Khouribga ! une ville où il y a la mer... Non, yemma, tu confonds avec Casablanca, mon frère travaille à Casablanca. Oui, tu as raison, Rabat est une jolie ville. Mais où est passé ton frère ? Il arrive cet après-midi. Il m'a dit que la maison est vieille et qu'elle tombe en ruine, alors il voudrait l'arranger, mais où irai-je moi ? Il pense que je serai mieux dans un appartement. Jamais, jamais je n'irai mourir dans un appartement, tu te rends compte comment sortir mon cercueil si je meurs dans un immeuble ? Je vais glisser entre les mains de ceux qui porteront mon cercueil. Non, ici, on est au rez-de-chaussée, je sortirai sans vous poser de problème, comme ton père, tu sais, l'ambulance est arrivée jusqu'à la porte, et il est parti.

Ma mère s'est assoupie. Elle ronfle, la bouche

ouverte. Elle est loin. Je lui tiens la main. Elle se réveille et continue :

Tu ne voudrais pas vendre la maison par hasard ? Les gens qui sont venus hier, c'était pour la visiter, n'est-ce pas ? Non, yemma, c'était ton médecin et son infirmière. Mais je ne suis pas encore morte, c'est fou, on dirait que certains sont pressés de me voir partir. C'est Dieu qui décide. Pas question de vendre la maison, mes enfants ne me feront pas ça, non. Je refuse de la quitter. Seul Dieu peut me faire bouger de cette chambre. J'ai tout préparé pour les funérailles, si on déménage je n'aurai pas le temps de tout préparer de nouveau. Promets-moi que tu ne vendras pas cette vieille maison ! C'est Keltoum qui, pour me faire mal, vient me dire des choses horribles, elle prétend avoir entendu mes propres enfants parler de vendre la maison, elle ment, n'est-ce pas ? Elle dit n'importe quoi. Elle exagère, elle doit avoir l'œil sur la maison, l'autre jour elle m'a parlé de ce qu'elle appelle « lentraite », l'argent qu'on donne à ceux qui sont trop âgés pour travailler. Il faudra lui donner quelque chose, elle le mérite même si elle m'énerve et parfois ne se conduit pas bien avec moi, mais c'est humain, elle me supporte tout le temps, jour et nuit, elle mérite bien une médaille, tu y penseras, tu me promets.

Non, je n'irai pas chez lui. Je parle de ton frère, il veut que j'aille me reposer chez lui. Non, je ne quitterai pas ma maison, j'aime bien être chez moi, je sais où se trouvent la salle de bains, la cuisine, le salon. J'ai peur de me perdre, j'ai peur de tout perdre. Alors je me cramponne comme un âne qui refuse d'avancer, tu sais à Fès, dans la médina, il arrive qu'un âne s'arrête et bloque le passage, souvent il fait ça dans une rue étroite, son propriétaire a beau frapper ou lui donner du foin, il ne bouge pas, il est fixé au sol, c'est sa tête qui lui dit de ne pas avancer. Eh ben moi, je suis votre âne, je ne bougerai pas de cette maison, dis-le à ton frère, je le dirai aussi à mon père, qu'il sache que rien ne me fera changer d'idée.

Tu t'ennuies ? Oui, je sais, je ne suis pas drôle, ton père était comique, il nous faisait rire, mais moi, pas douée pour ça. L'autre jour une femme est arrivée et s'est mise en colère contre Keltoum et Rhimou. Elle les a grondées. Elles ont pleuré. Je ne connais pas cette femme. Elles disent que c'est l'épouse de ton frère. Mais je ne l'ai pas vue. Elles inventent des choses pour créer des problèmes. Mais il ne faut pas gronder mes femmes, parce que si elles me quittent, qui s'occupera de moi ? J'ai besoin de ces femmes, je fais tout pour les ménager afin qu'elles ne me laissent pas toute seule dans cette grande maison où je ne peux plus bouger. Voilà mon fils, que dire d'autre ? Que Dieu vous aide et vous protège, que Dieu mette sur le chemin des filles de ton frère des garçons de très bonne famille, riches et surtout de bonne famille. Tiens, ton père est en colère, le plombier n'a pas réparé la chasse d'eau ni le robinet qui coule, il a pris l'argent sans rien réparer ; ton père est furieux, heureusement qu'un électricien est venu réparer le robinet et la chasse d'eau, il faudra que je prévienne ton père que dorénavant, quand on a des problèmes de plomberie, qu'il fasse venir un électricien, c'est important, les gens changent de métier facilement. Le monde à l'envers, cela fait longtemps qu'il tourne à l'envers, tu ne t'es pas rendu compte ? Regarde, l'heure est arrêtée sur le cadran de l'horloge ; sais-tu pourquoi ? Simplement parce que le mur est plein d'eau, il est humide ; ton père a tardé, d'habitude il vient déjeuner vers une heure. Ah, c'est l'été, les affaires ont dû reprendre, c'est pour ça qu'il tarde, à moins que tu n'acceptes de lui porter son déjeuner, je vais préparer le panier, tu passeras par Rcif, puis Moulay Idriss et tu arrives à Diwane, et fais attention aux manifestations, le roi a été exilé et tout Fès est en colère... Que disent les manifestants ? Tu les entends ? Je crois qu'ils crient : Le Maroc est à nous et pas aux autres ! C'est ça, Al Maghribou lana wa la li ghayrina ! C'est ça, ils veulent l'indépendance, mon frère est avec les manifestants, il est istiqlali, oui, il est watani, c'est un bon watani, un ami de Si Allal El Fassi, il faudra leur préparer un bon repas, car Si Allal va déjeuner chez nous, ma mère est à la cuisine, elle est dépassée, je vais l'aider, tu entends les cris des manifestants, on les frappe, on les pourchasse, les rues de Fès sont étroites, quelle folle journée, tiens mon fils, donne-moi la main, on va sortir donner à boire aux manifestants, on restera au seuil de la porte, il faut juste un peu d'eau pour ceux qui ont soif, Fès tremble parce que les Françaouis sont méchants, ils ont pris notre roi et ils veulent prendre nos enfants ! C'est bien d'être ici à Fès, il fait bon, je me sens bien, en fait, Fès est la seule ville qui éloigne de moi la maladie...

Mais yemma, nous ne sommes pas à Fès, nous ne sommes pas l'été 1953 ! Nous sommes à Tanger et c'est l'an 2000 !

Quoi ? Le temps a passé si vite ! compte mon fils, cela fait combien d'années que nous sommes à Tanger ? Presque cinquante ans ! Mais où étais-je tout ce temps-là ? On dirait que c'est hier. Je sens encore le parfum des roses qu'on fait sécher sur la terrasse pour en tirer ensuite, goutte à goutte, le parfum qui rafraîchit. Je suis submergée par ces odeurs, c'est l'été qui me rend visite et pourtant j'ai froid. Comment est-ce possible d'être en même temps à Fès et à Tanger, d'être en même temps en été et en hiver ? C'est curieux. C'est ta présence qui me trouble. Mon pied me fait mal, je ne peux pas marcher, je ne peux pas courir, je suis pourtant une jeune fille, je dois monter à la terrasse étendre le linge et parler avec Lalla Khadija, mais mon pied me fait mal, si je m'appuie dessus, je tombe comme un torchon, avant j'aurais dit comme un caftan, mais aujourd'hui, je suis comme un morceau de tissu tout déchiré, je m'écroule et j'ai de la peine à me relever, c'est humiliant de se trouver par terre et d'attendre que l'une des deux femmes vienne à mon secours. Tu vois mon fils, j'ai toujours craint d'en arriver là, d'être un tas de sable où plus rien ne tient, un paquetage dans un coin sans la possibilité de se mouvoir ; je compte les heures et les jours, heureusement je me trompe et je ne sais plus où j'en suis, tu peux te moquer de moi, au moins toi tu ris, disons que je te fais rire, tu sais le toit de la buanderie risque de s'effondrer, la maison est fatiguée, elle est vieille et les murs ont bu pas mal d'eau, tu vois, c'est fissuré partout, un jour il n'y aura plus de toit, plus de murs, plus de maison, ce sera ma tombe, vous n'aurez pas besoin de m'emmener au cimetière, ma maison sera ma dernière demeure. Non, pour ça il faut être une sainte, seuls les saints ont le droit d'être enterrés dans leur maison, je ne le suis pas, je suis juste une femme fatiguée.

23

Est-ce à cause de la vétusté des lignes téléphoniques ou de l'humidité, mais le téléphone est souvent en dérangement. Il arrive parfois que ma mère ne raccroche pas après avoir terminé de parler. L'autre jour, ce fut Keltoum qui débrancha le combiné. Un geste dicté par la mauvaise humeur, une petite vengeance, un rappel de son pouvoir. Votre mère est isolée, inaccessible, vous avez beau appeler, ce sera toujours occupé, vous penserez à un dérangement et puis vous n'aurez pas la possibilité de me dire des choses désagréables. Je débranche et je vous envoie au diable. La prochaine fois vous ferez attention en me parlant et puis vous me laisserez l'argent des courses. Je n'admets pas que les courses soient faites par quelqu'un d'autre que moi. Je dois tout contrôler et puis il faut bien une petite compensation...

C'est inadmissible. Mon frère est arrivé et lui a fait des reproches sévères sur son comportement. Elle n'a pas aimé et pour marquer le coup, de nouveau elle a débranché le téléphone. Elle dit être prisonnière de la situation. Ma mère ne la lâche pas et refuse de la laisser voir ses nombreux enfants et petits-enfants. Mon frère refuse de céder au chantage de Keltoum même s'il admet qu'elle fait un travail que ni sa femme ni notre sœur n'aimerait faire. Je ne vois aucune de mes belles-sœurs sacrifier son temps et son confort pour porter ma mère aux toilettes, la laver, la sécher et la ramener en la portant dans ses bras comme une enfant.

Keltoum est devenue indispensable. Elle lui donne ses médicaments à l'heure, la fait manger, lui tient compagnie, lui fait la conversation, lui change ses habits et même la fait rire. Pourquoi ferait-elle tout cela ? C'est un travail rémunéré, mais c'est aussi un lien, une sorte d'amitié, un compagnonnage qui dure depuis presque vingt ans. Évidemment Keltoum profite un peu de la situation, vole de temps en temps, revend des ustensiles, des plats anciens, rogne sur l'argent des courses qu'elle a réussi à avoir directement. Pourquoi agirait-elle avec ma mère uniquement au nom des sentiments ? Ma mère mêle tout, travail, affectivité, devoir, etc. On n'est pas dans une usine. Comme elles disent : « Nous nous sommes attachées l'une à l'autre, Dieu l'a voulu ainsi, le destin nous a réunies, seule la mort nous séparera, on a fait notre pacte, c'est ainsi, nous sommes croyantes et

Dieu est témoin, d'ailleurs on ne sait pas laquelle partira la première ! »

Un soleil éclatant enveloppe Tanger dans ses lumières. Je propose à ma mère de l'emmener faire un tour en voiture. Elle n'est pas sortie depuis la fois où nous sommes allés au Mirage. C'était l'été dernier. Keltoum la porte jusqu'à la voiture et nous partons voir la mer. Elle ne reconnaît pas les rues, elle est contente et me bénit. Je voulais qu'elle regarde les gens passer, qu'elle sente les odeurs de la ville et aperçoive un bateau entrer dans le port. J'arrête la voiture devant la plage ; le soleil, trop fort, l'empêche de bien voir ; je me rends compte qu'elle ne voit pas grand-chose, non seulement à cause de ses yeux mais aussi à cause de sa petite taille. Elle est tassée dans le siège et ne peut pas faire l'effort de se relever. Elle rit de la situation et dit qu'elle est enfoncée dans le siège comme un sac de patates. Nous quittons le bord de plage, nous nous dirigeons vers la Vieille Montagne. Là, elle me dit sur un ton sérieux : nous sommes arrivés au mausolée Moulay Idriss ou pas encore ? Mais yemma, Moulay Idriss est à Fès, nous, nous sommes à Tanger, le saint patron de la ville est Sidi Bouaraquia ! Non, je veux visiter Moulay Idriss, ça fait longtemps que je lui dois cette visite, c'est lui qui intercède entre moi et notre Prophète, je lui confie mes prières et il les transmet à notre saint Prophète, je voudrais lui dire de veiller sur mon fils qui passe son examen, tu sais, le petit dernier, il va entrer au collège, mais il faut qu'il réussisse les examens. Mais yemma, Fès est loin, on est à cinq heures de voiture de là. Ah, bon ! nous ne sommes pas à Fès ni à Meknès ! Alors ramène-moi à la maison, au moins là, je sais où je suis.

En rentrant elle eut du mal à se réinstaller. Le soir elle a été très fatiguée, elle a passé une mauvaise nuit. Keltoum me dit que l'air de la mer lui fait mal, il lui donne de la diarrhée ! Elle me fait comprendre que sa toilette devient plus difficile, qu'elle refuse de mettre des couches dont elle enlève la partie adhésive pour les rendre inutilisables, qu'il n'y a pas de machine à laver le linge, qu'elle en a assez et qu'elle fait tout cela par fidélité.

24

La mère de Roland a quitté son appartement, elle s'est installée dans un petit hôtel donnant sur une rue calme de Lausanne, elle est contente d'être là, le temps que le propriétaire fasse quelques travaux. Elle a pris goût à la vie à l'hôtel. Tout est simple, elle ne s'occupe de rien, elle a tout le temps pour lire, pour regarder ses émissions préférées, pour téléphoner à son amie avec qui elle aime jouer au bridge. Elle en a parlé à Roland qui l'a encouragée à prolonger son séjour à l'hôtel. Il aurait préféré un palace avec piscine et sauna. Il a toujours aimé les grands hôtels, il a même prévu de terminer sa vie dans la plus belle suite d'un grand palace ; il ne sait pas si ce sera en Suisse ou en Asie. C'est l'ultime luxe qu'il souhaite s'offrir.

Bientôt j'irai voir sa mère dont il me parle souvent dans des termes qui me choquent parfois. À quatre-vingt-onze ans, elle se porte bien ; elle est autonome, lit, joue du piano et fait des remarques sur la vie que mène son fils. En m'écoutant parler dans une émission de télévision d'un roman que j'ai écrit sur un bagne de Hassan II, elle a dit à Roland : « Mais qu'a fait ton ami pour se retrouver prisonnier dans un bagne horrible durant presque vingt ans, le pauvre ? — Mais il ne s'agit pas de lui, maman, il s'agit d'un autre, lui, il n'a fait que raconter cette histoire ! »

Mon rêve est d'organiser une rencontre entre nos deux mères. La mienne, ne pouvant pas se déplacer, recevrait à Tanger la mère de Roland. J'imagine les préparatifs pour un tel événement. Repeindre la maison, changer le tissu des matelas, refaire la salle de bains... Si la mère de Roland avait envie d'aller aux toilettes, je n'ose penser au choc qu'elle pourrait avoir en trouvant une chasse d'eau en panne pourtant maintes fois réparée, un bidet où les deux robinets sont hors d'usage parce que Keltoum les a cassés juste pour ennuyer yemma, un lavabo ébréché, une ampoule qui pendouille du plafond parce que le fil, retenu par un vieux clou, aura cédé et que l'électricien chargé de réparer tout cela n'est autre qu'un des nombreux fils de Keltoum et qu'il ne sait rien faire. Tu imagines le regard suisse sur une salle de bains de Marocains modestes ! Non, je préfère que la rencontre ait lieu dans le patio de l'hôtel El Minzah. Je transporterai ma mère sur un fauteuil roulant, je lui dirai qu'une vieille dame souhaite faire sa connaissance, une dame un peu plus âgée qu'elle et bien mieux conservée ; elle me dira qu'il faut l'inviter à la maison, puis se ravisera et fera remarquer que la cuisine de Keltoum est lourde et pas toujours bonne. Je traduirai le dialogue entre les deux mondes et j'en rendrai compte à Roland qui rira beaucoup.

Ma mère me dira : cette dame se porte mieux que moi, es-tu sûr de son âge, parce que moi je ne sais pas quand je suis née, tu as plusieurs fois calculé et tu as trouvé un âge qui ne me correspond pas, mais dis-moi, cette dame, elle est chrétienne, n'est-ce pas ? Elle n'est pas musulmane, je veux dire elle n'est pas comme nous, donc elle est une infidèle et ira en enfer, n'est-ce pas ce que dit le Coran ? Ce n'est pas bien ce que je dis là, mais on nous a toujours appris que les chrétiens et les incroyants iraient en enfer, donc la mère de ton ami n'ira pas au paradis, je ne la verrai pas là-bas ! Mais yemma, tu sais bien que ce sont les actes des êtres qui font que l'âme se retrouve en enfer ou au paradis, il se peut qu'un musulman soit puni pour ce qu'il a fait de mal et aille en enfer et qu'un chrétien qui a fait du bien dans sa vie se voit récompensé et son âme acceptée au paradis ! Ah, bon ! tu as raison, que de fois ton père faisait la remarque sur des non-musulmans qui se conduisent bien mieux que des musulmans, il disait ce juif mérite d'être musulman, ou ce chrétien est des nôtres tellement il est bon !

Elle me demandera une dizaine de fois qui est cette dame, pourquoi est-elle venue, comment s'appelle son fils, que faisait son mari... Elle me posera ces questions jusqu'à ce que cette dame s'éteigne dans les limbes de ses souvenirs d'enfance.

J'ai parlé au téléphone ce matin avec ma mère. Elle m'a reconnu tout de suite. Ses analyses ne sont pas bonnes. La glycémie est montée malgré l'insuline et le régime alimentaire. Elle a eu en plus une infection urinaire. C'est son médecin qui me l'a dit, elle n'a pas osé m'en parler. Elle m'a juste demandé quand je viendrai la voir. Elle a évoqué la fête de l'Aïd-el-Kébir, la fête du sacrifice du mouton qui a eu lieu il y a plus d'un mois. Mon fils, la fête de l'Aïd-el-Kébir a toujours été pour moi une corvée, je devais supporter la nervosité de ton père qui attendait le dernier moment pour acheter le mouton, il pensait s'y connaître mais souvent il se faisait avoir, ensuite, je n'avais pas d'aide, toutes les bonnes partaient pour la fête dans leur famille, normal, mais moi je restais toute seule avec un mouton égorgé dans la cour ou dans la cuisine et je devais faire à manger et le ménage, et puis vous n'étiez jamais contents, car le premier jour la viande est trop fraîche, elle n'est pas mangeable, ah, mon fils, là je me souviens très bien et ne me dis pas que je délire, les fêtes de l'Aïd sont pour moi des jours noirs, que Dieu me pardonne, mais ces jours m'ont épuisée, et puis les gens ne pensent qu'à manger, alors que c'est une fête où on devrait s'occuper des pauvres, n'oublie pas d'acheter un mouton, même si tu n'aimes pas cette viande, tu dois t'acquitter de ce devoir, tu n'as qu'à la distribuer aux pauvres ; puis après le mouton, il fallait faire les gâteaux, la famille vient nous dire bonne fête et moi, je ne suis pas bien habillée, je suis énervée et je maudis le vent et les habitudes... Pourquoi les chrétiens n'ont pas des fêtes aussi salissantes ? Tout ce sang versé, ces tripes, ces abats et puis cette viande qu'il faut manger et qui paraît-il est dangereuse pour le cœur, je ne veux pas passer pour une mauvaise musulmane, mais il faudra qu'un jour quelqu'un nous libère de ces corvées et de cette fatigue. Tous les ans, au septième jour de la fête, je tombe malade, je prends le lit et je passe des moments de grande fatigue. Je n'en peux plus. L'année prochaine, on achètera de la viande chez le boucher et puis pas de sang dans ma maison...

Elle pense que c'est la semaine prochaine et me rappelle qu'il faut acheter un mouton et distribuer sa viande aux pauvres, elle ajoute quant à Keltoum il vaut mieux lui donner l'argent elle achètera ce qu'elle voudra. Tout cela, je l'avais déjà fait au moment de la fête. Je lui dis de ne pas s'en faire. J'ai envie et besoin d'aller passer quelques jours avec elle. J'ai besoin de lui parler, de lui demander pourquoi l'éducation qu'elle m'a donnée ne me prépare pas à éviter les pièges. Elle me dira qu'il faut passer outre. Elle s'est toujours tenue à l'écart, s'est occupée de son foyer, de ses enfants et n'a jamais exprimé des envies ou des jalousies à l'égard des personnes autour d'elle. Je la regarde et je vois ou plutôt j'imagine tout ce qu'elle a enduré en silence, sans crier, sans protester, sans réclamer justice. Longtemps j'ai perçu dans son attitude, dans sa voix, dans ses mots quelque chose qui désigne en elle la victime, l'innocente qui ne sait pas se défendre ni se venger. Victime de qui, de quoi ? Je ne sais pas ; peut-être qu'elle n'a pas eu les joies et plaisirs qu'elle espérait de la vie. Au début de son veuvage j'ai remarqué que son état général s'était amélioré ; elle était soulagée, comme si la mort de mon père l'avait libérée, lui avait donné du repos, une sorte de grandes vacances. Elle espérait ce moment, disant que Dieu me donne ne serait-ce qu'un jour que je vivrai pleinement sans cet homme !

Je ne peux pas lui dire qu'« une vie à deux est une perpétuelle construction ». Ce sont des mots qui ne passeront pas en arabe dialectal ; elle me regardera pour vérifier si je ne me moque pas d'elle puis me dira mais qu'est-ce que tu connais de la vie ? Elle me dira chez nous chacun doit rester à sa place. On suit le cours des choses, le chemin étant tracé par les ancêtres et puis on fait ce qu'on peut pour traverser la vie, certains y trouvent leur compte, d'autres passent leur temps à se plaindre. Moi, je me tourne vers Dieu et le remercie.

Quelle vie ai-je eue ? me dit-elle un jour ; elle répond par un long soupir puis passe à autre chose. À moi de deviner cette vie.

25

Keltoum annonce à ma mère qu'elle est tentée par les cours d'alphabétisation qui ont lieu à la mosquée : le nouveau roi veut nous apprendre à lire et à écrire, c'est trop tard, mais si on peut au moins apprendre les chiffres je pourrai téléphoner à mes enfants et petits-enfants. Rhimou aussi voudrait s'inscrire à ces cours du soir. Ma mère est prise de panique. C'est ça, vous vous êtes mises d'accord pour en finir avec moi, vous faites tout pour faire monter le sucre dans le sang, vous partez faire les jeunes filles dans une mosquée, me laisser seule pour mourir vite, sans la présence de mes enfants, tant que vous y êtes, prenez avec vous ma fille Touria ainsi que ma mère qui se fera un plaisir de m'abandonner, allez, oubliez ce que dit ce nouveau roi, a-t-il pensé à moi, a-t-il eu une pensée pour les personnes dépendantes ? Non, il veut que les ignorants cessent d'être ignorants, moi je veux bien, mais pourquoi me prendre Keltoum et Rhimou ? Non, vous êtes folles et mauvaises, moi, je n'aurais jamais fait ça à l'une de vous, et puis qui s'occupera de mon petit frère malade ? je sais, vous allez me dire qu'il est mort il y a longtemps, que je divague, que je n'ai plus ma tête, je sais tout ça, mais mon frère n'est pas mort, il est là, il est tout près de moi, vous pouvez vous en aller, il restera à mon chevet, même malade, il ne m'abandonnera pas, il est beau et tendre, c'est le frère que je préfère, je l'ai dit l'autre jour à sa femme, quand nous étions à la circoncision de mon fils, elle s'est mise à pleurer, tellement elle était contente, allez-vous-en, allez à la mosquée, faites vos prières et ne revenez plus, apprendre à lire ! Mais à quoi ça va vous servir ? Moi, je n'ai pas eu cette chance. Vous voulez apprendre à lire pour suivre le feuilleton des chrétiens où les acteurs parlent un arabe que ni vous ni moi ne comprenons, c'est ça, c'est juste pour continuer à regarder la télévision, bon, vous plaisantez, n'est-ce pas ? C'est pour rire, c'est pour me faire marcher et m'énerver ? Je me plaindrai à mon fils, il va venir tout à l'heure, non, pas celui qui vit en France, non, celui de Casa, comment s'appelle-t-il ?

Keltoum et Rhimou se mettent à rire. Ma mère, rassurée, leur souhaite d'aller en enfer.

Dès qu'elle me voit elle me prévient : Keltoum n'est pas contente, je n'ai pas pu retenir mes urines, ça m'a échappé, alors il a fallu tout changer, les habits, les draps, la couverture et même le tapis ; pourquoi le tapis ? Je n'en sais rien, c'est ainsi, le tapis paraît-il est sale, mais ce n'est pas moi qui l'ai sali, enfin c'est dur de leur faire croire ça, c'est peut-être une bonne chose qu'elles apprennent à lire, mais moi je ne veux pas, je n'ai pas envie de me retrouver toute seule avec deux femmes qui vont se croire supérieures à moi parce qu'elles déchiffrent des lettres ! parce qu'il suffit qu'elles sachent lire l'alphabet pour qu'elles se prennent pour des professeurs, des docteurs, des savantes, je les connais, bon, dis-moi mon fils, tu as pensé à leur donner de l'argent en plus de leur salaire ? C'est bien d'être généreux, si elles voient l'argent, elles oublieront la mosquée et les cours du soir ; je sais, elles m'embêtent mais elles méritent plus que de l'argent, si je pouvais leur laisser cette maison, enfin quelque chose, je le dis à voix basse, parce que si mon père m'entend, il me grondera et puis ton frère se mettra en colère, mais moi, je ne suis pas attachée à la poussière de la vie, je pars chez Dieu les poches vides et le cœur plein d'amour pour le Prophète, donc je n'ai pas besoin de biens matériels.

26

La mère de Roland s'appelle Zilli, diminutif de Cecilia. Roland a eu un choc l'autre jour quand on l'a appelé de la clinique pour lui apprendre que sa mère avait fait une chute et qu'elle ne se sentait pas bien. Il a demandé à lui parler. Zilli n'a pas reconnu son fils. « Je ne connais pas de Roland, monsieur, vous m'importunez, je n'ai pas de fils et n'insistez pas, je n'ai jamais eu d'enfant, alors laissez-moi en paix, monsieur ! » C'est la première fois que sa mémoire divague. Roland est blessé, il n'accepte pas ce qu'il vient d'entendre : Comment, moi, le fils unique de Zilli, je me trouve aujourd'hui renvoyé au rang des inconnus ? C'est inadmissible.

Quelques jours plus tard, il l'a rappelée. Elle l'a reconnu tout de suite. Il a ri et lui a demandé pourquoi la dernière fois elle l'avait pris pour un étranger. « Mais mon fils, plus on vieillit, plus on devient comique ! »

Je prends le train pour Lausanne. Roland m'attend à l'hôtel de la Paix.

La meilleure amie de Zilli est une femme très riche. Ne pouvant plus marcher, elle a été acceptée dans l'asile pour personnes âgées le plus confortable de Suisse. Zilli est encore autonome et n'a le droit d'y passer qu'une quinzaine de jours tous les six mois. Sa meilleure amie a une Rolls Royce et un chauffeur. Elle passe de temps en temps la chercher pour faire une balade. Zilli apprécie ces moments de détente.

Ma mère n'a plus aucune amie. Ses amies étaient ses cousines, parfois quelques voisines, des femmes qu'elle rencontrait dans le hammam, elles parlaient, se plaignaient, s'entraidaient, se prêtaient des habits de fête, des bijoux, puis elles se perdaient de vue après un déménagement. Ma mère aurait aimé avoir de vraies amies, des femmes à qui se confier. À Tanger, notre voisine était une cousine du roi, ma mère appréciait chez elle son élégance, sa discrétion, mais elle était souvent à Rabat, quand elle revenait elle racontait à ma mère son séjour au palais, lui parlait des cadeaux que lui faisait le roi ; un jour elle a donné à ma mère une poignée de bois de santal, parfum du paradis. Ma mère était si contente qu'elle décida que ce serait pour le jour de ses funérailles. Avec ses cousines, il y avait parfois des histoires de jalousie, des disputes pour des choses sans importance ; ma mère détestait les conflits, apaisait les unes et les autres. Elle était considérée comme une femme de paix, pleine de sagesse. Mais d'amies proches et fidèles, elle n'en avait pas eu. Personne ne viendra la sortir dans une Rolls.

Personne ne lui fera la conversation. Elle le sait et le dit sur tous les tons. C'est ainsi, la seule amie qui me reste habite à Casablanca, c'est ma cousine la plus proche et c'est aussi ma belle-sœur ; elle a eu cette maladie dont je ne veux pas prononcer le nom ; on lui a enlevé un sein et depuis, elle vit bien ; ça fait longtemps qu'on ne s'est pas vues, c'est normal, elle est à Casablanca et Tanger n'est pas sur le chemin. Quand j'étais jeune, son mari, mon petit frère, celui qui est mort à quarante ans, venait souvent me voir, il me sortait en voiture et me montrait la ville et les environs. Je l'aimais beaucoup. Le jour de sa mort, j'ai cru que j'allais le suivre dans la tombe. Nous avons tous eu une braise sur le cœur. Un feu difficile à éteindre. L'autre jour, il est venu me rendre visite, il n'a pas changé, toujours élégant, bien parfumé, il m'a dit que son frère aîné lui a encore emprunté de l'argent et qu'il ne travaille pas, je l'ai rassuré et lui ai dit que ce n'est pas de sa faute mais c'est la faute de sa femme qui le garde dans le lit au lieu de le laisser aller travailler. Il faut que j'appelle ma cousine pour lui donner des nouvelles de son mari. Il se porte vraiment bien. Tu te souviens, mon fils, de ces étés à Casablanca ? Je vous laissais, toi et ton frère, passer les grandes vacances chez lui. Tiens, là, pendant que je te parle, je le vois, il m'apparaît comme un ange, une lumière soudaine, je l'entends me dire des choses rassurantes. Viens, assieds-toi mon petit frère, tu vois comment je suis devenue ? Une chose, une motte de terre, un sac de sable qui fuit de partout. Cela fait combien d'années que tu nous as quittés ? Trente-cinq ans ? Tant que ça ? Mais tu exagères, je me souviens comme si c'était hier, tu es entré en clinique pour un examen du foie et puis tu es ressorti blême et froid. Tu es mort la nuit même. Ma mère a perdu connaissance et puis tes sept enfants ne savaient où aller avec leur immense chagrin.

Mais pourquoi pleures-tu mon fils ? Ce n'est pas à toi que je parle, je suis avec mon petit frère, va nous apporter des fruits, les arbres en sont pleins.

Nous sommes à Imouzzer chez ma tante, la petite sœur de ma mère, celle qui a épousé un homme riche, un homme beau et élégant, il parlait doucement, ne venait jamais les mains vides. Il fut le premier dans la famille à avoir une automobile. Je me souviens d'une voiture noire, je tournais autour en passant la main sur les portières, je faisais semblant que je savais conduire, je m'installais, les mains sur le volant, mes pieds trop courts n'atteignaient pas les pédales. Imouzzer, une station d'été, il y faisait frais puis les grandes familles de Fès se devaient d'avoir leur résidence secondaire dans cette petite ville. C'est là que je jouais avec une cousine au mariage, nous nous couvrîmes avec un drap, je devais lui montrer mon pénis et elle me laisser toucher son bas-ventre. Nos jeux n'étaient pas innocents, car un jour elle a pris mon doigt et l'a introduit dans son vagin, je l'ai caressé et elle a failli s'évanouir. Ce sont des souvenirs qu'on n'oublie pas. Ma mère n'était pas dupe, ma tante non plus qui me disait sur le ton de la moquerie attention, si tu veux qu'elle soit ta femme, il faut que tu sois docteur ou ingénieur, car ma fille est belle et elle doit avoir pour époux le plus bel homme et le plus riche de Fès !

La maison est une ferme. J'aime jouer dans le jardin potager. Mon oncle, le petit frère de ma mère, est là. Il joue aux cartes avec d'autres gens de la famille. Entre deux exclamations, je les entends parler de « l'agression de trois pays contre la Palestine ». Je demande à mon oncle où se trouve la Palestine. Il me montre un journal : tu vois, c'est là, tout contre l'Égypte, c'est tout petit, eh bien, même ce bout de terre, on ne veut pas le laisser aux musulmans !

Zilli m'attend. Roland l'a prévenue de ma visite. Elle a fait venir la femme de ménage et a insisté auprès de son fils pour qu'il me dise que son appartement est petit et très modeste. Comme ma mère, elle tient à faire « bonne figure ». C'est une dame très maigre, le regard vif, élégante, qui parle avec un accent. Je lui offre un bouquet de roses. Elle me sourit et m'embrasse puis me dit : vous êtes célèbre, très célèbre, vous passez souvent à la télévision, d'ailleurs je vous trouve mieux en vrai, mon fils, lui ne passe plus à la télé, et ne vient pas me voir souvent. Roland proteste. Zilli l'interrompt : ce n'est pas vrai, tu me téléphones, mais tu n'es pas là !

Je lui fais un compliment sur sa bonne forme : quatre-vingt-douze ans et toute sa tête ! Oui, mais ma vue baisse, elle ne cesse de baisser. J'aime marcher, j'aime rêver et aussi lire. En ce moment je lis Thomas Bernhard. Il est excellent, puissant et très critique, j'aime cet homme et tout ce qu'il dit sur l'Autriche, mon pays. Vous me dites que je suis bien, mais je suis une baraque, une vieille baraque, la mort j'y pense souvent, je n'en ai pas peur, d'ailleurs j'aurais dû mourir en même temps que papa, mon dernier mari ; il est mort il y a vingt ans ; où étais-tu Roland ? je crois que tu étais en voyage, je t'avais téléphoné, il y avait cette machine qui me demandait de laisser un message, tu te rends compte, dire à une machine que papa est mort, ce n'est pas bien ; enfin, tu sais, j'étais enceinte de toi quand j'ai épousé papa, il t'a accepté, je veux dire il t'a adopté, je ne t'ai jamais dit ça, ça t'étonne ? qu'importe, tu es mon fils et ton père t'a aimé, il ne te l'a pas dit, mais en Suisse, on ne dit pas ces choses-là à ses enfants !

Ah, la mort ! Je n'en ai pas peur, en fait j'ai peur de l'enfer, j'ai peur de tout ce qui nous attend après le dernier souffle. Le paradis ? Moi, certainement pas au paradis. Peut-être votre maman, mais moi, j'ai beaucoup voyagé, peu fréquenté les églises, et j'ai dû commettre quelques péchés. D'où vient cette peur de l'enfer ? De la pension catholique où j'ai passé mon adolescence, en Italie, chez des bonnes sœurs, *e vero la paura del inferno,* c'était durant la Première Guerre mondiale, mes parents avaient peur pour moi, ils m'ont cachée chez des sœurs italiennes, *no era un regalo, no, ma la vita era bella perche dopo la guerra a conocido el amor ad la libertad*, j'aime parler italien, j'aime cette langue, ses sonorités, mon fils parle allemand, c'est moins drôle, il ne vient pas me voir, du moins pas souvent, je le dis comme je le pense, il est paresseux, il dit qu'il vient puis ne vient pas, en revanche ses anciennes fiancées me rendent visite, elles sont toutes encore amoureuses de lui, mais il fait semblant de ne pas savoir ce qui se passe. J'ai beaucoup voyagé, j'adore les pays du soleil, l'Égypte, ah l'Égypte ! Le Kenya, le Maroc ! Ici c'est triste, c'est tout le temps l'hiver, les gens sont réservés. J'ai une amie qui est devenue aveugle, j'aime me promener avec elle, je lui raconte ce que je vois, elle a l'avantage de ne pas être bavarde, nous nous promenons, je parle quand j'ai envie de parler, c'est commode, parfois on ne se dit rien, chacune dans son monde, moi je pense à mon fils, elle à sa fille et nous marchons durant des heures, nous nous arrêtons pour prendre le thé puis nous rebroussons chemin ; c'est très agréable, le seul problème, c'est lorsqu'il pleut, nous sommes dérangées. Là, je pense au Maroc, quel pays, je l'ai découvert juste après la guerre, il y avait les Français, mais je préférais les souks des Marocains, quelle lumière, quelle joie, il y a de la poussière et les gens sont insouciants. Oui, j'aimerais bien quitter cet appartement si petit, aller dans une maison pour personnes âgées, mais on me dit il n'y a pas de place, là-bas j'ai quelques amies, c'est bon d'avoir de la compagnie surtout quand les enfants ne sont pas là. Dites-moi, avez-vous trouvé une chambre ? Lausanne devrait avoir plus d'hôtels. Ah, bon, vous ne restez pas, vous partez voir votre maman, elle n'habite pas en France, elle est à Tanger, non je ne connais pas cette ville. Vous voyez je suis dans un appartement très modeste, je sais que vous vous imaginiez que la mère de Roland habitait dans une grande maison, je suis ici depuis cinquante ans, je loue, là, c'était la chambre de Roland, je me souviens de lui encore tout petit jouant aux échecs avec son père. Il était très attentif. C'était un enfant solitaire. La ville me livre tous les jours un repas. C'est sympathique. Mais dites-moi, avez-vous trouvé une chambre ? C'est bête, vous auriez dû me prévenir, je vous aurais trouvé une belle chambre à l'hôtel de la Paix ; n'est-ce pas, Roland ? Et votre maman, a-t-elle ce bracelet autour du poignet ? Vous savez, il suffit que j'appuie dessus et un médecin arrive. J'ai aussi une touche sur le clavier du téléphone réservée à l'urgence, elle a ça votre mère ? Non ! Et comment fait-elle ? Les personnes qui s'occupent d'elle sont analphabètes ? Comment est-ce possible ? C'est surtout la vue qui baisse et la peur de l'enfer... mais je marche sans canne, c'est formidable, je fais des promenades avec une amie devenue aveugle, j'aime bien marcher avec elle parce qu'elle ne parle pas beaucoup, je n'aime pas les personnes bavardes... Ah, s'il n'y avait pas cette histoire d'enfer, je crois que je serais déjà partie, je sais, il y a ce médecin suisse qui prépare un cocktail létal, il pose le verre sur la table de chevet, c'est au malade de le prendre ou de ne pas le prendre, c'est bien, il facilite les choses, mais la religion n'aime pas ça, il y a une association, je crois qu'elle s'appelle Exit, c'est marrant, sortir, partir en douceur, partir sur la pointe des pieds, mon fils a écrit tout un livre sur ce départ, je crois que je l'ai lu, je ne m'en souviens pas bien, je n'ai pas le courage, j'ai toujours en mémoire ce que nous disaient les sœurs italiennes, l'enfer, le purgatoire et tout ça... C'est très gentil d'être venu, je suis fière d'être visitée par un homme célèbre, vous ne voulez pas un verre d'alcool, Roland, offre à boire à ton ami, non, pas de l'eau, ça ne se fait pas, même si elle est pétillante, offre-lui un whisky ou du cognac... Monique est très gentille, elle est très belle, fine, intelligente, avec des yeux très noirs, elle vient souvent me voir, c'est devenue une amie, mais elle est toujours amoureuse de Roland. Ah, Tam, quelle belle femme, un peu distante, avec quelque chose de supérieur dans le regard, mais quelle classe ! Et Linda, très intelligente, sensible, belle, elle est encore amoureuse de Roland ! Non, je ne m'ennuie pas, je rêve, je rêve tout le temps, je rêve de mes voyages, ceux que j'ai faits, ceux que je n'ai pas faits, je rêve de soleil, je me souviens de tout ce que j'ai fait, je remplis mes journées de tous ces rêves, je les repasse devant moi et ça me suffit, la nuit je dors bien, je n'ai pas de problème pour dormir, ce n'est pas comme Roland qui prend des pilules ; je ne joue plus de piano, je n'en ai plus envie, et votre mère joue-t-elle d'un instrument ? Non, quel dommage, c'est triste de ne jouer d'aucun instrument de musique ; moi j'ai passé ma vie à voyager, à découvrir des pays, à nager, à jouer du piano. Et votre maman ? Quoi ? Elle a passé sa vie dans les cuisines ? Mais ce n'est pas une vie, ce n'est pas humain, j'aime bien manger légèrement, Roland, achète-moi des raisins noirs, ceux qui viennent d'Italie, juste une grappe, j'aime les voir posés sur une assiette, là sur la table, c'est beau surtout quand le soleil est là... Vous partez déjà, c'est très gentil à vous d'être venu, dites à Roland de venir me voir un peu plus souvent, il vous écoutera peut-être, mais je sais il n'écoute personne, il a des idées très arrêtées, c'est juste ma vue qui baisse, je vois flou mais je vais bien, oui, peut-être que je finirai par boire le verre de lait du docteur, comment s'appelle-t-il ? le verre de lait fatal, Roland dit létal... il faut être comique, ça dépend si on me donne une chambre dans la maison que j'aime, je resterai un peu plus, sinon, je crois que j'apprendrai à avoir du courage, mon fils est d'accord, l'autre jour, j'ai eu un moment d'absence, c'était juste après mon accident, je ne l'ai pas reconnu, il s'est fâché, mais c'était juste un trou, un simple petit trou, sinon je vais bien, je ne me plains pas, aujourd'hui le concierge m'a invitée à déjeuner, c'est gentil, je ne sais pas ce qu'il a préparé, le principal c'est de ne pas manger seule. J'ai failli épouser un Égyptien, il y a de ça longtemps, un homme aisé, mais il est devenu aveugle, je n'avais pas le courage de m'occuper d'un homme invalide, pourtant je l'ai beaucoup aimé, c'était avant de rencontrer papa, je te l'ai déjà raconté Roland, je crois qu'il était amoureux de moi, nous nous entendions bien, on aurait pu nous marier mais ça ne s'est pas fait... Vous êtes un bon fils, vous voyez votre maman souvent, que Dieu vous garde, vous me dites qu'elle n'a pas peur de l'enfer ! Comment ? C'est l'islam ? Pourtant c'est une religion terrifiante ! Elle est contente d'aller retrouver le Prophète ? Quelle chance d'avoir de telles convictions. C'est une personne qui a la foi, c'est bien, moi la foi... je ne sais pas...

27

C'est le mois d'octobre. Je suis loin de Tanger. J'avais convenu d'appeler tous les jours à la même heure pour avoir des nouvelles. Parfois le téléphone sonne tout le temps occupé. Le combiné a été mal raccroché. Je m'énerve, j'appelle les voisins pour alerter Keltoum. Quand elle me répond, elle redouble d'obséquiosité, se fait tout humble, s'excuse presque de devoir m'apprendre des choses désagréables. Je la vois, le dos courbé, se faisant passer pour une pauvre femme supportant toute la douleur du monde.

Ma mère a failli mourir déshydratée. Une diarrhée sévère l'a vidée, mettant Keltoum et Rhimou dans tous leurs états, ne sachant par quoi commencer : faire la toilette, appeler à l'aide, téléphoner au médecin ou à ses enfants... Elles l'ont vue dépérir, changer de couleur, avoir les yeux révulsés... et il était plus de minuit. Personne pour composer les numéros de téléphone, les voisins étant absents et le jeune homme du magasin — le seul dans la maison à savoir lire et écrire — n'est pas rentré. Elles ont communiqué leur panique à ma mère, qui s'est mise à pleurer et à appeler ses enfants tout en les confondant avec ses frères et ses parents : C'est l'heure, c'est le jour, le moment fatal et redouté, je vais mourir sans voir ma mère, sans mes fils et surtout sans Ali, mon petit frère, parti acheter du pain et qui n'est pas rentré, mais appelez-les, dites-leur que leur fille est en train de mourir, dites-leur que je suis bonne musulmane, je prie, mais je ne comprends pas pourquoi ma mère m'abandonne, j'ai toujours été bonne fille, obéissante et aimante, mais la vie est étrange, mon fils se cache et ne vient plus me voir, oui, je sais, celui qui est à l'étranger, il est là, pas loin, mais il n'entend pas mes appels, faites-le venir, j'ai besoin de lui parler une dernière fois, qu'il me prenne la main, que je sente la chaleur de sa main dans la mienne, c'est votre seigneur, ne riez pas, mais Moulay Ali, mon petit frère, est paresseux, où est-il, il ne s'est pas levé ce matin, il n'aime pas beaucoup travailler, faites attention, ça coule, ça coule sous moi, ça sent mauvais, je rends mes tripes, mon foie, mes envies, allez, ramassez, prenez de grandes serviettes et ramassez le mal qui descend de mon estomac, je me purifie et je sens que je m'en vais, je pars, ma langue est lourde, elle est pâteuse, j'ai du mal à la bouger, à parler, je ne parle plus, je me parle, et elles continuent à s'agiter, mais pourquoi mes enfants ne sont-ils pas là, je sais qu'ils se cachent, je n'ai plus de force, je tombe et aucune main ne me retient, aucun regard ne m'accompagne, c'est moi qui vois les visages des uns et des autres tourner autour de moi sans s'arrêter, sans me parler. La nuit est longue, j'aime pas la nuit, les autres dorment et moi je compte les étoiles, mais où est mon fils, lumière de mes yeux, qu'il vienne, qu'il descende de la montagne, je me vide et je n'ai rien mangé aujourd'hui, c'est ça la mort, tout s'en va, tout devient liquide... Je cherche un élastique pour retenir les manches de ma robe, mais où l'ai-je mis, je tourne en rond, cet élastique est pratique, je n'aime pas quand les manches tombent, ça me gêne, mais où est passée Keltoum, que fait-elle, ah elle est dans la salle de bains, elle nettoie mes bêtises, c'est bien, et l'autre, que fait-elle, pourquoi ne vient-elle pas pour m'emmener à la salle de bains, je sens mauvais, très mauvais, c'est la première fois que ça m'arrive, il faut que je me lave, il faut que je me lève, mais je ne peux pas, j'ai toujours redouté ce moment où je suis comme un tas de terre lourde, incapable de bouger, je ne suis plus rien, une petite chose qui sent mauvais et qui attend ses enfants... allez, préparez le salon, mettez en marche les fourneaux, les gens vont affluer de partout, allez acheter une douzaine de poulets, il faut qu'ils trempent dans l'eau salée toute la nuit, ça les nettoie, achetez aussi de la viande, et commandez le pain, il est tard, mais personne ne me répond, je parle toute seule, pas la peine d'appeler le médecin, il ne fera rien, je n'en ai pas besoin, il est inutile, comme moi, je suis inutile, la preuve, personne n'accourt me voir et répondre à mes appels. Dieu est grand, Dieu est grand, Sidna Mohammed est son prophète, le dernier des prophètes, Dieu est miséricorde, Dieu est clément, mais pardonne-moi, mon Dieu, je ne suis pas en état de prononcer ton nom, je suis souillée, il faut que je fasse mes ablutions, mais Keltoum et Rhimou sont occupées ailleurs. Elles arrivent, elles me crient dessus, surtout Keltoum, elle me gronde et veut refaire mon éducation. Je suis une petite fille qui a fauté, qui a fait sous elle, il faut la punir, je n'aime pas l'expression de son visage, je n'aime pas le ton de sa voix, et pourtant j'ai toujours peur qu'elle s'en aille et me laisse seule, livrée à moi-même.

Je l'écoute en regardant une longue fissure dans le plafond. Je serre la main de ma mère et crains qu'avec sa maladie, son absence, je ne me trouve de plus en plus exposé dans la vie. Elle m'a toujours dit que sa bénédiction était une protection. Je lui ai fait plaisir en y croyant. À la longue j'ai fini par me persuader que j'étais protégé et que je n'avais rien à craindre, jusqu'au jour où un ciel noir m'est tombé sur la tête.

Elle m'avait toujours dit de me méfier de ceux qui se présentent à moi comme des amis. Je ne l'ai pas écoutée et je me suis fait piéger par un petit Satan trapu et fourbe. Ce n'était pas le moment de me plaindre et de prendre ma mère à témoin. Cette histoire de protection est irrationnelle, pourtant je m'y accrochais, plus par désespoir et fatigue que par conviction...

Quel âge a Keltoum ? Difficile à dire. Tout ce qu'on sait, c'est qu'elle a eu six enfants, qu'ils sont tous mariés et qu'elle a vingt-deux petits-enfants. Elle ne parle jamais de son mari. Peut-être est-il mort, ou bien vit-il dans un coin de la maison, impotent. Une de ses filles a huit garçons. Elle en est fière.

Certains viennent la voir. Ma mère ne déteste pas les visites à l'improviste. Il se passe quelque chose dans la maison, dans le silence et l'ennui. Elle les confond avec ses propres enfants, leur donne des noms et les installe dans ses souvenirs les plus lointains.

La famille de Rhimou vient de temps en temps passer la journée à la maison. Ma mère ne s'en plaint pas, même s'il lui arrive de la trouver un peu envahissante. Elle ne dit rien. Cela fait passer le temps ; le temps, un de ses pires ennemis.

Depuis quelques mois, elle dort le jour et passe des nuits blanches. Keltoum et Rhimou s'en plaignent. Elles disent la vie est à l'envers, le pour et le contre, la lumière et l'obscurité, le blanc et le noir, le silence et les cris. Ma mère crie avec autant de force qu'une jeune femme. Elle appelle les uns et les autres à se rassembler autour de la table, à manger et à rire. La vie doit revenir. Elle n'est plus une impasse ou un tunnel. C'est le jour, une belle journée d'été à Fès. Il fait chaud, on trempe les mains dans la fontaine au milieu de la cour et on s'asperge d'eau fraîche. Tout le monde est là. Peut-être que moi aussi je fais partie de ces effluves de la mémoire.

Je suis assis dans un coin, à l'ombre. Je joue avec des boîtes de médicaments. Je surveille les femmes qui s'activent. C'est peut-être la veille d'une fête. Ma mère est heureuse, elle chante tout en préparant le repas. Elle pleure en épluchant les oignons. Elle pleure et en rit. Sa sœur cadette est arrivée, elle porte une superbe robe en soie bleu ciel. Elle plaisante avec les hommes, dit des gros mots tout en éclatant de rire. Elle aussi est heureuse. Elle laisse entendre que si elle est en retard, c'est parce que son mari l'a retenue au lit. Ma mère se cache le visage. Elles oublient ma présence ; j'écoute, j'enregistre, je suis étonné par la liberté de ton de ces femmes qui se déchaînent quand elles sont seules ; elles nomment le sexe et prennent un grand plaisir à répéter les mots désignant les organes de l'homme, elles le décrivent avec beaucoup de détails, ma mère, pudique, se couvre le visage avec la manche de sa robe, mais rit de bon cœur, les femmes dansent, miment l'acte sexuel et chantent. Soudain ma tante me voit, elle hurle, mon Dieu, il a tout entendu, il fait semblant de dormir, mais il a tout suivi, le petit Satan ! Ma mère s'en va à la cuisine, une de ses cousines se penche sur moi et me dit tu sais on rigole, tu vas pas répéter ce que tu as entendu, n'est-ce pas ? Tiens, donne-moi ta main, tiens caresse ma poitrine, elle te plaît, c'est doux, petit Satan, tu aimes ça ! Je pétris ses seins énormes et lourds et ferme les yeux. Je ne dis rien, ne promets rien, je ris et retiens la cousine auprès de moi, elle s'assoit, ouvre ses jambes et me colle contre elle, je risque d'étouffer, mais elle se frotte à moi et il me semble qu'elle ne porte pas de culotte, je sens quelque chose qui pique, peut-être son bas-ventre dont elle a rasé les poils, elle me dit des choses étranges, mon petit homme, tu es trop maigre, mais ton ami n'est pas maigre, il s'est levé, c'est incroyable, un enfant malade comme toi a son truc qui se lève, mon Dieu, il faut que je te laisse, si tu veux après le déjeuner je reviendrai jouer avec toi, tu veux ? Mais ce sera notre secret.

Mon père n'est pas encore là. Mon oncle Moulay Ali est arrivé, accompagné du mari de ma sœur. Ils parlent politique, sont en colère contre le colonialisme et ne font pas attention à la belle légèreté des femmes. Je me dis : Ils ont tort, c'est tellement beau un ensemble de jolies femmes heureuses de vivre. De là où je suis, rien ne m'échappe, j'observe, je note et je retiens : les femmes sont gaies, elles tournent le dos aux problèmes. C'est l'impression qu'elles me donnent. Elles ont leur monde, ne cherchent pas à empiéter sur celui de leurs hommes. Chacun à sa place. Mais où se trouve l'harmonie, l'équilibre et l'égalité ?

Tout est une question d'arrangement coutumier. On ne parle pas de ces questions-là. On vit, et pourvu que rien ne change. Il y a le retour des choses, l'éternel retour du même. Cela fait des étapes ponctuant la vie et l'époque. Après le mariage, la grossesse, l'accouchement, la fête du septième jour de la naissance, le nom donné, le mouton égorgé dans la direction de La Mecque, l'allaitement, les premiers pas, puis on passe, quand c'est un garçon, à la circoncision. C'est l'occasion de faire la fête, puis les saisons se succèdent, on les reconnaît à l'apparition dans le marché de certains fruits.

Je ne me souviens pas de cas de maladie. Tout le monde se porte bien. Mes parents ne doivent pas mourir. C'est une conviction. La peur, la hantise, c'est l'accident de voiture. À Fès, les automobiles n'ont pas accès à la médina. Elles restent à l'extérieur. Seul mon oncle a une voiture. C'est une américaine noire. Les sièges sont en cuir. Elle porte un numéro 238 MA 5. Je demande au mari de ma tante ce que signifie le MA. Il me dit c'est Maroc et le chiffre 5 désigne la ville de Fès, ainsi il y a 238 automobiles dans notre ville. À Casablanca il y en a beaucoup plus.

28

Ma mère crie comme une enfant. Sa voix porte loin. Elle appelle Keltoum et Rhimou qui ne répondent pas. Elles ont pris l'habitude de ces appels sans motif. Ma mère leur reproche de la laisser parler dans le vide. Elles veulent me rendre folle, elles me considèrent comme folle, sans raison, sans esprit, sans tête. J'ai toute ma tête et ma mère peut en témoigner. C'est curieux, ma mère est plus jeune, plus alerte que moi. Je la vois se dépêcher, aller et venir toute pimpante, prête à sortir, à aller au mariage de son neveu ou de sa nièce, je ne sais plus, je le lui demanderai tout à l'heure, elle me renseignera, car si je compte sur ces deux paysannes, je n'aurai aucune information.

Les années cinquante à Fès ont le goût de petites cerises bien noires, le parfum des fleurs d'oranger et la couleur d'un temps révolu. La vieillesse puis la sénilité ont renvoyé ma mère à l'époque fleurie de sa jeunesse. On dit d'elle que c'est l'une des plus belles filles de Fès. Elle rougit et baisse les yeux. Sa mère est fière d'elle et se tait pour ne pas froisser la cadette. À quoi elle jouait ? Ma mère ne jouait pas mais apprenait la broderie ; elle a préparé son trousseau, brodant durant des jours et des nuits le tissu utilisé pour couvrir matelas et coussins. Ce sont des dessins géométriques d'une grande précision. Pas droit à l'erreur, sinon, il faut tout refaire. Elle prétendait même que la broderie de Fès lui avait abîmé les yeux. Des centaines d'heures de travail. Elle a aussi appris à faire la cuisine, mais cela était naturel, aucune fille de Fès ne pouvait se permettre de faire l'impasse sur l'art de faire la cuisine.

Elle aimait préparer la table, et faire tout sans l'aide de personne. Elle ne mangeait pas le jour où elle cuisinait. Son plaisir elle l'éprouvait à la fin du repas lorsque les plats revenaient vides, que tout le monde ait apprécié ses mets lui en faisait perdre l'appétit. Il lui arrivait de manger un morceau de pain avec des olives pour ne pas défaillir. Le soir, elle tombait de fatigue et dormait avant les autres. Elle disait que tant qu'elle avait la force de broder et de cuisiner, elle ne se plaindrait jamais. Elle avait une bonne santé.

Ma mère regrette de ne pouvoir se lever, marcher sans être soutenue et partir errer dans la vieille ville de son enfance. Ce refuge dans les plis humides du passé doit la rassurer, ou bien l'aider à s'abstraire d'une situation qu'elle a redoutée toute sa vie. Être entre les mains des autres. Elle n'aime ni ces mains-là ni ces visages. Elle a besoin de retrouver la langue, les images, les odeurs, les voix de l'enfance, peut-être pense-t-elle boucler la boucle.

Nous sommes tous là autour d'elle et elle ne nous voit pas. Un de mes frères s'énerve. À quoi bon ? Elle est partie faire un tour dans les années lointaines, et quand elle reviendra elle nous le dira en nous appelant un par un et en nous demandant de ne pas perdre de vue sa mère qui est impatiente de quitter la maison. Il faut renoncer à trouver de la logique dans tout cela, et être là, même si elle ne se rend pas compte qu'on est auprès d'elle.

Keltoum voudrait que le médecin fasse quelque chose pour qu'elle ait un sommeil tranquille. Avec la nuit tout se précipite, l'angoisse, l'affolement, les cris et les souvenirs qui la submergent et lui donnent l'impression de se noyer.

Sa propre fille vient de moins en moins la voir. Elle ne téléphone même pas. Les deux infirmières qui passent à tour de rôle lui faire sa piqûre et changer son pansement sont remarquables. Ce sont deux sœurs qui ne se ressemblent pas. Elles la traitent comme si c'était leur grand-mère, lui baisant la main, lui parlant avec gentillesse. Elles font plus que leur simple travail d'infirmières. Ma mère les aime bien et ne cesse de les confondre. Cela les fait rire, ce qui déclenche des quiproquos amusants.

C'est arrivé subitement : une chape noire s'est posée sur le ciel, sur la maison, jusque dans la chambre. L'obscurité, rien que l'obscurité et les bruits de la vie après déjeuner : l'appel à la prière, la vaisselle, les dialogues en arabe classique d'un feuilleton brésilien, le vendeur de casseroles qui vante sa marchandise, Keltoum qui discute à voix haute avec Rhimou, l'eau qui chante ou plutôt grince dans la vieille tuyauterie de la salle de bains, les voisins qui hurlent comme tous les jours à la même heure, les clameurs de la ville, et ma mère qui ne voit plus. Elle a cassé ses vieilles lunettes, a glissé du matelas et s'apprête à s'appuyer sur le bassin pour rejoindre la table où est posé le téléphone. Pourquoi avoir pris ce risque de tomber de nouveau et de se casser quelque os ? Quand je ne vois plus, j'ai besoin de parler à ma mère, je sais qu'elle n'est pas là, mais je l'appelle pour qu'elle vienne me prendre dans ses bras et me rassurer, car cette obscurité qui est tombée d'un coup m'a fait peur. J'entends les bruits de la vie, mais je n'ai prise sur rien. Alors seule ma mère peut me sauver. Non, elle n'est pas morte. Non seulement elle est en vie, mais elle est à la fleur de l'âge, elle est vive et belle comme une rose, elle est pleine de jeunesse, je n'invente rien, moi je la vois, peut-être pas vous, je la vois tout le temps, elle est devant moi, elle est arrivée pour me protéger et me serrer dans ses bras, nous allons dire le Coran ensemble, elle sait par cœur la sourate du Trône, celle qui donne bénédiction et paix, je ne vous vois plus, mais elle est présente, toute lumineuse, je ne suis pas folle, je suis juste fatiguée par tous ces médicaments qui ne s'entendent pas entre eux dans mon corps, alors ils troublent ma tête et brisent ma raison. Mais où sont mes lunettes ? Qui les a prises ? Elles ne valent pas grand-chose, mais elles me dépannent, je vois flou et j'ai pris l'habitude de vous voir entourés d'une auréole, c'est ainsi et je ne m'en plains pas. Elles sont cassées ? Mais qui les a brisées ? Ah, ce n'est que la tige, donc je peux les placer devant mes yeux pour voir, vous voir, mes fils, mon cœur et mon foie, que Dieu vous protège et vous mette au-dessus du mal et de ceux qui cherchent à vous nuire, les jaloux, les hypocrites, les mauvais, ceux qui n'ont pas reçu la bénédiction des parents, les voyous, que Dieu vous mette à l'abri de leurs yeux, loin de cette poussière noire que le vent soulève et jette dans la montagne des détritus. Oui, mes enfants, je vois que le mauvais œil est partout, l'envie, la rancœur, la cruauté rôdent autour des gens du Bien, mais Dieu et mes ancêtres sont avec vous, n'oubliez pas de me donner de belles funérailles, n'économisez pas, ne soyez pas petits ou mesquins, je veux un départ superbe, avec toute la famille autour de mon cercueil, et vous, vous embellirez, vous illuminerez par votre présence ce moment sublime du grand départ, vous donnerez à cette journée la lumière et l'élégance qu'elle mérite, pas de pleurs, pas de cris, mais des prières, et moi au milieu comme une petite chose qu'il faudra rendre à celui qui nous a faits, celui qui nous donne le souffle, la vie et aussi la mort, mais la mort n'est rien, c'est juste un passage vers quelque chose de plus beau que la vie, là où le Prophète et tous ses saints nous attendent... Mais pourquoi vous pleurez ? qu'ai-je dit de triste ? Je parle simplement de ce qui nous est commun à tous, la fin, la mort. Oui, soyez heureux en préparant mes funérailles, certes mon corps sera donné à la terre et aux vers, mais mon âme sera chez Dieu, et je ne peux pas espérer un meilleur sort... Enfin vous riez, je vous fais rire, c'est bon signe, moi je n'ai pas peur de la mort, je sais, tout est entre les mains de Dieu, nous n'avons qu'à obéir et être fidèles à la volonté divine, c'est ce que mes ancêtres m'ont appris, même si je n'ai jamais été à l'école, je sais des choses, en tout cas ce que je devrais savoir, nous n'avons pas le choix, où sont mes lunettes, pourquoi fait-il si sombre ? Vous remarquez, vous aussi, que le ciel est devenu tout noir ? Est-ce la fin du jour ? C'est déjà la nuit, alors allumez toutes les lumières, j'aime l'éclat de la lumière, qui m'apaise et ouvre grand mon cœur, ne soyez pas avares de lumière et de prières. J'appelle Keltoum et elle ne répond pas. C'est son habitude. Cela fait longtemps, peut-être vingt ans, qu'elle est là, je la connais bien, elle me connaît bien, et pourtant elle me contrarie, me laisse seule à la réclamer, comme si elle était un bien précieux et orgueilleux... Est-ce le jour ? est-ce la nuit ? Je suis triste de ne pas savoir. C'est quoi, ce voile noir sur mes yeux ? C'est peut-être la fin, non, je ne sens pas encore l'appel de l'au-delà, je suis là et j'attends, dites-moi pourquoi Ahmed ne vient plus à la maison ? Sait-il qu'un autre Ahmed, plus jeune que lui, a ouvert un magasin juste en face du sien et fait de meilleures affaires que lui ? Ô mère, toi qu'on dit morte, viens, l'envie de te voir a empli mon cœur et rend ma respiration difficile, tout le monde est là, ma grand-mère aussi, celle qui avait été mariée à l'âge de douze ans, Lalla Bouria, elle est là, tu te souviens d'elle, elle est ta mère, elle nous attend depuis longtemps, il y a aussi Moulay Ali et ton petit dernier, ton préféré, c'est un jour de fête, mais pourquoi ne viens-tu pas ? Je n'ai pas fait exprès de casser mes lunettes, non, ce n'est pas de ma faute, il ne faut pas me punir pour ça, je ferai attention la prochaine fois, c'est Keltoum qui a mouchardé, elle se venge parce qu'elle est obligée d'être là et de s'occuper de moi. Je ne cesse de rêver à mon dernier jour, mais je ne le vois pas encore se lever, comment le savoir, j'ai peur qu'il vienne alors que je dors, je dis ça parce que je le voudrais solennel et heureux, je dis ça pour alléger votre tristesse et vous laisser la paix en héritage. Je ne laisse pas grand-chose de matériel, je ne possède rien, il y a cette maison et puis ma bénédiction. J'ai de nouveau aperçu une fissure dans la salle de bains, il va falloir refaire des réparations, n'attendez pas mon dernier jour pour y penser. Il ne faut pas laisser entrer Ambar, elle m'a fait mal quand j'étais petite. Elle frappe à la porte, je la connais, elle viendra chargée de cadeaux, mais ils sont tous empoisonnés. Je ne lui veux aucun mal, mais qu'elle s'éloigne, qu'elle donne son visage ailleurs. Je vois aussi des rats qui ont pris la forme humaine, ils sont trois, trois frères qui ont fait mal à mon père, il faut les chasser, pour les reconnaître sachez qu'ils rient fort et tout le temps... Mais un jour viendra où ils seront étouffés par le mal qu'ils ont fait aux autres... Mais de quoi je parle, je ne sais pas ce que je dis, je dis n'importe quoi, j'invente pour passer le temps. Tiens ! quelle heure est-il ? Ai-je fait la prière du coucher ou pas encore, je ne m'en souviens plus, ça fait rien, je ferai une autre prière, ce n'est jamais de trop...

Keltoum lève les yeux au ciel, puis dit : C'est tout le temps ainsi, elle n'arrête pas, tantôt c'est son frère qui vient mais ne lui parle pas, tantôt c'est sa mère qui lui rend visite et m'appelle pour lui préparer une pastilla... On vit ici avec des fantômes, elle doit les voir, moi je ne vois rien, des fois je me pose la question, peut-être qu'elle voit réellement tous ces morts qui viennent lui donner la main pour l'emmener avec eux, j'avoue que j'ai peur, en même temps j'ai encore ma raison, je sais qu'elle délire, mais on ne sait jamais, des morts bien enterrés qui débarquent à la maison, c'est bizarre, mais comme elle s'imagine dans sa maison de Fès, je suis rassurée, tout se passe là-bas, ici nous sommes bien à Tanger, elle ne sait plus où elle est, au début de sa folie je rectifiais, je lui faisais la leçon, lui rappelant les choses avec précision, elle s'étonnait, me regardait d'un air incrédule, puis me disait : Tu es folle, ou alors c'est moi qui suis devenue folle ! Depuis trois jours, elle pleure, surtout quand on se retrouve seules en tête à tête, elle pleure sérieusement, non pas sur son état, mais parce qu'elle prétend que sa mère vient juste de mourir et qu'elle n'a été enterrée qu'à moitié, sans avoir eu droit à la toilette musulmane. J'ai beau lui dire que sa mère est sous terre depuis presque trente ans, il n'y a rien à faire, elle persiste et continue de pleurer comme une enfant inconsolée, ensuite elle dit que les funérailles de sa fille ont manqué d'éclat, là je m'énerve, je lui dis que Touria est encore en vie, qu'elle vient de rentrer de La Mecque et qu'elle lui a parlé au téléphone la veille, alors elle s'arrête puis dit : Ma fille n'est pas morte, mais alors, qui avons-nous enterré hier ? Mais personne, tu t'imagines, tu vois des choses qui n'existent pas.

Keltoum entre dans la chambre, ferme la porte et s'assoit sur une chaise, nous regarde puis dit : Puisque vous êtes tous là, je dois vous avouer que je n'en peux plus. Votre mère est ma meilleure amie, mais je suis fatiguée, elle me fatigue, j'ai envie de vacances, de changer d'air, d'aller passer quelques jours avec mes enfants et mes petits-enfants, mais je ne peux pas la quitter, quand je pars le matin faire le marché, elle me supplie de revenir vite, je ne peux pas lui faire un mauvais coup. Il y a vingt ans, je faisais le ménage. Aujourd'hui je suis son amie, sa fille, sa mère, son obsession, et moi aussi je l'aime et ne supporte pas quand elle délire, ça me fait mal, on a peut-être quinze ou vingt ans de différence, mais j'ai peur de finir comme elle, finir dans un coin entre la folie et l'insomnie. Alors je prie Dieu et je fais attention à ma vie. Moi aussi j'ai mes rhumatismes, mes migraines et mes douleurs d'estomac. J'essaie de me soigner, mes enfants me réclament, de temps en temps je vole quelques heures et je vais les voir, d'autres fois ils me rendent visite ici, ça fait un peu de vie dans cette vieille baraque, c'est pas facile, mais que faire ? Dieu a voulu que je sois là et que j'accompagne cette dame si bonne dans ses derniers moments. C'est la nuit qui me fait peur, je ne sais pas composer les numéros de téléphone, Ahmed dort rarement ici, je panique quand elle se trouve mal, j'ai peur de rester impuissante devant une de ses crises. Vous devrez dire à Ahmed de passer la nuit avec nous, au moins lui c'est un homme, il pourra être utile en cas de drame. Rhimou ne s'en plaindrait pas. Voilà tout ce que j'ai à vous dire. J'ai appris par cœur son traitement, heureusement que les boîtes de médicaments sont de couleurs différentes. Parfois je m'amuse et je refais le programme de son traitement : le matin, une pilule rose plus une demie blanche ; à midi, deux blanches contenues dans la boîte verte ; le soir, une demie de la boîte jaune et bleu, puis un sachet, là c'est facile, je sais que le sachet est à donner avant le dîner. Quand le médecin lui change son traitement, c'est la panique, mais je m'en sors, j'arrive à repérer les choses et j'espère ne jamais me tromper, en tout cas tant que j'ai une bonne vue et que je suis en bonne santé. Moi aussi je suis menacée, je n'ai plus vingt ans, la vie est dure, heureusement que cette amitié nous lie, je fais du bien, vous faites le bien, et Dieu vous aide et vous protège.

Tout le monde ne partage pas cette vision quasi idyllique de la relation entre Keltoum et ma mère. Je ferme les yeux et je laisse passer. Avons-nous le choix ? Après tout c'est ma mère qui la veut auprès d'elle et la réclame. Il ne faut pas rompre cet équilibre fragile. Quant à Rhimou, celle qui ne dit rien, qu'en pense-t-elle ? Elle fait le ménage, suit avec passion *Esmeralda*, un feuilleton venu d'un pays d'Amérique latine, fait ses prières et proteste quand Keltoum la maltraite. On assiste parfois à un huis clos à trois : la malade, la patronne et la bonne. Il y a aussi Ahmed dont les manigances restent secrètes.

29

J'ai lu dans un journal que les personnes analphabètes ont plus de risques d'être atteintes par la maladie d'Alzheimer que celles qui ont eu une activité cérébrale intense et variée. Ma mère s'est servie de ses méninges pour imaginer une autre vie, pour nous mettre à l'abri du mal et pour nous voir évoluer à l'ombre de sa bénédiction. Son champ intellectuel est très restreint : elle connaît quelques versets du Coran par cœur, des prières, des appels à Dieu et à son prophète, elle connaît quelques chansons populaires et vit ainsi avec très peu de choses qui vont et viennent dans sa tête. Elle sait par intuition et habitude le fonctionnement des traditions de la ville de Fès, comment circuler dans le labyrinthe de cette vieille médina.

L'Alzheimer s'est engouffré dans ce cerveau modeste sans violence. Il lui arrive de retrouver des moments de lucidité et de se moquer de ses propres défaillances. Avec le temps ces moments sont de moins en moins fréquents et de plus en plus brefs. Elle ne souffre pas, elle s'ennuie, alors elle oublie le présent et elle s'installe au plus loin de son passé. Elle est seule, entourée des fantômes et des ombres de ce temps sans cruauté.

Je me demande si les colères de Keltoum sont provoquées par la fatigue et la répétition des mêmes paroles ou parce qu'elle craint de terminer sa vie comme ma mère.

Penser à cette faillite, à ces absences où le temps s'ennuie et s'effrite, regarder sa propre image défaite dans ce miroir plein de trous, aller chercher en soi les traces du bonheur dans l'espoir de colmater ces fissures de l'âme et sauver les mots de ce désarroi qui fait mal.

C'est le chagrin qui monte. Il faut changer d'air. Je repense à Zilli, la mère de Roland, je la vois dans les années quarante à Vienne, belle et amoureuse, séduisante et vive, voyageant avec beaucoup de valises et de malles, insouciante, jouant au piano juste avant de prendre le train pour Paris, avant de vivre une magnifique histoire d'amour.

Ma mère n'est pas apaisée. Elle pleure et réclame sa mère et son petit frère. Keltoum n'a plus de patience. Tantôt elle lui dit sèchement qu'ils sont morts et enterrés depuis très longtemps, tantôt elle joue le jeu et abonde dans son délire. Elle l'a installée dans le fauteuil roulant et l'a promenée dans toute la maison à la recherche des morts. Voilà, ma bien-aimée, ne t'impatiente pas, on va aller chercher maman et aussi le petit frère, celui que tu préfères, ils sont peut-être cachés sous le lit ou bien derrière les rideaux, voilà, ne t'énerve pas, ma petite, je tire les rideaux, tiens, ils ont disparu, ils sont plus agiles que nous, attends, on va voir dans la grande armoire, j'entends des rires étouffés, ça doit être eux qui se moquent de nous, ne bouge pas, ne pleure pas, on va les trouver, on a tout le temps, oui, j'ai préparé le dîner, j'ai cuisiné pour eux aussi, ta mère aime le tajine d'agneau aux coings et aux gombos, je sais, elle adore ce légume visqueux, moi je ne le supporte pas, je sais, je ne suis qu'une paysanne, pas assez raffinée pour goûter ce légume, mais je l'ai préparé pour ta maman, tiens, tu vas aller au salon, là je ne vois rien, ils ne sont pas là, tu dis que tu les entends et tu les vois, d'accord, mais on peut arrêter les recherches si tu les as vus, c'est ça, on revient à la chambre, tu les as invités à dîner, c'est bien, à présent il faut que je te laisse, il faut aller acheter le pain, un tajine sans pain c'est inimaginable, je te laisse un petit moment, je te réinstalle dans ta chambre, je vais mettre la table et aller au four prendre du pain chaud, mais pourquoi pleures-tu ? tu veux un foulard en soie, non, pas de foulard, un fichu, un torchon pour jouer, tu veux de l'argent pour aller chez le bijoutier, mais attends que ton fils vienne et il te donnera de l'argent, beaucoup de billets, en attendant avale ton médicament, c'est la boîte jaune, non, je ne sais plus, j'ai peur de me tromper, tu me fais perdre la tête, je ne sais plus ce que je fais, tu me troubles, je suis fatiguée. Il faut appeler ta fille. Après tout c'est son devoir, je sais, elle est malade, c'est l'époque où ses crises sont fréquentes, tant pis, je suis là, je serai tout le temps là, c'est ma vie, mon destin, ce que Dieu a écrit pour moi...

Ma mère est fatiguée. Le petit tour dans la maison l'a ébranlée. Elle ne dit rien. Elle est triste, le regard vague. Elle s'est absentée, les yeux ouverts. Elle fait et refait la prière. Dès qu'elle termine, elle appelle Lalla Bahia, une cousine germaine. Elle lui parle de vive voix : Lalla, ya Lalla, dépêche-toi, c'est un grand jour, les demandeurs en mariage ne vont pas tarder, attention, surtout pas de maquillage, tu restes discrète et les yeux baissés, n'oublie pas, j'insiste, les yeux baissés, c'est très important, c'est décisif, tu te rends compte, une jeune fille qui fixe les invités est une effrontée, une mal élevée, une fille de famille pas recommandable, l'honneur est là, dans cette attitude, dans ce silence, c'est ça, regarder par terre, tout le temps, ne lever les yeux que pour remercier ton père et lui baiser la main, allez viens, Lalla, on commence par le hammam, ensuite ce sera la fête du henné.

Lalla Bahia va se marier, elle va nous quitter et nous allons la pleurer. J'ai tant pleuré à mon mariage, j'avais quoi ? quinze, seize ans, je ne m'en souviens plus, j'étais encore très jeune, c'était la tradition, on ne se marie plus dépassé les vingt ans, tu te rends compte, l'angoisse des parents, devenir une chose dont personne ne veut, une h'boura, une marchandise invendue au fond du magasin, ô la honte, moi je n'ai pas eu le temps d'aller au fond du magasin, tiens, écoute-moi, Lalla Bahia, on n'a pas le même âge, tu es presque ma fille, tiens, assieds-toi, prends ma main et écoute mes prières ; je vais appeler Keltoum pour qu'elle te prépare le henné, ensuite on ira toutes les deux au hammam, j'aime bien y aller même si je ne supporte pas trop la chaleur ; quelle chance ! tu ne seras pas stockée dans le magasin des filles oubliées par la vie, je veux dire par le mariage. Moi, j'ai épousé mon premier homme alors que j'ignorais tout de la vie, c'était un jeune homme de très bonne famille, pas riche mais plein de piété et de bonté, mais Dieu me l'a vite repris, il l'a rappelé à lui après une forte fièvre. Il était beau. J'étais enceinte. Je n'ai pas eu le temps de pleurer. Ma fille est née et je me suis mise à l'allaiter. J'avais tellement de lait que j'en donnais aussi à ma petite sœur qui avait à peine six mois de plus que ma fille. Mon père se lamentait, ma mère faisait des prières à longueur de journée. Tu vois, Lalla Bahia, il ne faut pas désespérer. Tu vas te marier et avoir beaucoup d'enfants, tu as un ventre généreux, c'est important, ton cœur est tout blanc ; tu ne connais pas ton homme ? Tu auras tout le temps de le connaître, c'est pas grave, l'important est de ne pas tomber avec lui avant le mariage, tomber, oui, mais la nuit de noces, c'est normal, sinon, ça n'a pas de charme. Tu vois, je ne connaissais aucun de mes trois maris. Je ne m'en plaignais pas. Ils sont tous morts, je crois qu'ils sont morts parce que je ne les vois plus, mais où sont-ils passés ? Keltoum as-tu vu mon mari ? Non, pas le dernier, non, le deuxième. Non ? Je dis n'importe quoi, c'est ça, voilà qu'elle me manque de respect, tu entends Lalla Bahia, Keltoum me parle comme si j'étais folle, quelle déchéance, j'en ai assez, je vais tout de suite la renvoyer, appelle mon fils, dis-lui de renvoyer Keltoum, la maison est assez généreuse, il y a du monde et je n'ai plus besoin de Keltoum. Tiens, dis à Lalla Batoul de faire venir deux domestiques, tu sais Lalla Batoul, la marieuse, la negafa aux trois dents en or. Pourquoi Keltoum se moque-t-elle de moi ? Qu'ai-je dit de ridicule ? Je confonds le présent et le lointain passé ? Et alors ? Quel mal à ça, j'ai pas de comptes à lui rendre, à propos de comptes, il va falloir qu'elle me dise où est passé le million que j'ai caché sous l'oreiller la nuit dernière, au réveil il n'y avait que du papier journal. J'ai moi-même compté les billets, il y en avait beaucoup de tailles différentes, c'est mon fils qui vit en France qui m'a donné cet argent pour que je ne manque de rien... Ah, j'allais oublier, dites au juge de convoquer mes trois maris. Il faut qu'ils s'occupent de moi, c'est leur devoir...

30

Il fait chaud, très chaud, c'est ça, Fès, dès qu'approche l'été, ça chauffe. L'hiver est très froid, l'été très chaud, je transpire, donne-moi un peu d'eau de fleur d'oranger, ça rafraîchit bien, comment ça se fait qu'il n'y en a plus ? Mais j'ai moi-même acheté les fleurs, les ai séchées sur la terrasse et avec ma cousine Lalla Maria j'ai obtenu une dizaine de bouteilles d'un litre. Ah, tu me dis que je rêve, que cela s'est passé il y a trente ans, d'accord, est-ce une raison pour me priver d'eau de fleur d'oranger ? C'est quoi cette logique ? Et si j'ai envie de manger du khlie, tu sais de la viande séchée, cuite puis confite dans son gras, si je te demande de me préparer un petit tajine de khlie, tu vas pas me refuser cette envie ? Ah, le docteur dit que c'est pas bon pour mon régime. Mais quel régime, ça fait trente ans que je ne mange plus le sucré, le khlie n'a rien à voir avec le sucre. Ah, le gras, mais j'ai une bonne recette au citron qui élimine tout le gras. Mais où est passée Keltoum ? L'autre, comment s'appelle-t-elle ? Elle fait semblant de ne pas m'avoir entendue. Les gens sont bizarres. Dès qu'on a besoin d'eux, ils se transforment en fantômes. Tant pis, nous sommes à Fès, chez moi, mon père entre dans la maison, le visage illuminé. Il est toujours comme ça, de la lumière sur le visage. Il est heureux et nous annonce qu'il a acheté un chameau. Faut se préparer pour l'égorger. On fera appel à Larbi, le boucher, celui qui a épousé la première femme de mon dernier mari, tu sais, tu te souviens mon homme, le dernier, était marié avec Fattouma qui ne lui donnait pas d'enfant. Il cherchait une femme pour avoir des enfants, c'est ainsi que mon oncle lui a proposé de me prendre pour épouse, même si j'étais deux fois veuve. Mon homme a dû hésiter, on ne sait jamais, qui est cette femme qui porte malheur ? Enfin, le hasard a fait que mon homme m'a prise tout en gardant en réserve la pauvre Fattouma. Il l'a répudiée quand j'ai été enceinte... Ah ! J'ai déjà raconté cette histoire ? Non, ce n'est pas moi, c'est quelqu'un d'autre qui l'a inventée... donc Larbi qui aura treize enfants avec Fattouma a égorgé le chameau au milieu de la cour. La bête hurlait comme un être humain. Mon père aimait ce rituel qui lui permettait de réunir toute la famille. On savait qu'au début du printemps, Moulay Ahmed allait acheter un chameau. Ma mère n'avait même pas besoin de lancer les invitations, dès que le chameau entrait dans les ruelles étroites de la médina, les gens de la famille venaient s'installer quelques jours chez nous. Mon père adorait ces journées. Le soir, il jouait aux cartes avec les hommes de la famille, le jour, il racontait à ses voisins commerçants comment il a gagné aux cartes. C'était un saint homme, avec une grande sensibilité, il connaissait par cœur le Coran mais ne comprenait pas pourquoi les femmes devaient hériter une demi-part et les hommes une part entière. Il avait son franc-parler. Il nous traitait sur le même pied d'égalité que mes frères. C'était un homme remarquable. Je l'attends, ne pars pas, tu sais, il t'aime beaucoup, tu verras, il viendra tout à l'heure et comme d'habitude, il apportera des pommes d'Espagne, des bananes, des noix, des dattes d'Arabie, des jouets pour toi et ton frère, tu verras il a une barbe magnifique, toute blanche. Il faut dire à Keltoum de m'apporter la marmite pour que je prépare le déjeuner, je ne peux plus me lever, mais quand il sera là, il va dire une prière et ma santé reviendra comme avant.

Keltoum m'a fait appeler ce matin : je n'en peux plus, ta mère nous a de nouveau fait passer une nuit blanche. Non seulement je n'ai pas fermé l'œil, mais il fallait écouter ses délires, lui répondre, la ramasser quand elle tombait du lit parce qu'elle voulait sortir, aller au cimetière réveiller les morts qui font semblant de dormir, les morts qui passent la journée avec elle puis l'abandonnent la nuit venue, non, j'en ai assez, je vais devenir comme elle, timbrée et dérangée, mais moi j'ai personne pour s'occuper de moi si je tombe dans un coin de la maison, j'ai mes enfants et petits-enfants mais chacun pense à soi et moi je peux crever, non, viens vite lui parler ou la mettre entre les mains d'un docteur de la tête, qu'il lui donne des pilules qui la rendent calme, tranquille, et surtout qui la font dormir, tu te rends compte, elle a passé la nuit à chercher sous le lit Mokhtar, tu te demandes qui est ce Mokhtar, c'est le bébé qu'elle aurait eu le mois dernier, c'est le petit de l'infirmière Halima, ou plutôt la sœur de l'infirmière qui a accouché d'un beau bébé, elle nous l'a amené pour nous le montrer, tu comprends, elle est si fière de son premier enfant, elle ne pouvait pas savoir qu'elle allait rendre folle ta mère, car, dès qu'elle l'a vu, elle l'a pris pour son propre enfant, elle voulait l'allaiter et s'est mise à lui chanter une des plus vieilles comptines et a refusé de le rendre à sa mère, il a fallu ruser pour le lui retirer, Halima a pleuré et n'est plus revenue, mais ta mère est obsédée par le bébé, elle l'appelle Mokhtar et le réclame tout le temps. Voilà ce qui se passe, elle pleure et dit que les morts sont partis en emmenant le bébé avec eux, c'est pour ça qu'elle veut qu'on la porte au cimetière chercher Mokhtar, voilà où je navigue, je vais et je viens dans la folie et n'ai pas le droit de me reposer, je sais, elle est attachée à moi comme moi à elle, mais il m'arrive, comme cette nuit, de perdre patience. Il faut réparer le chauffe-eau, il y a une fuite. Le plombier a dit qu'il faut le changer, le remplacer par un neuf, ça coûte, et puis le pharmacien ne veut plus faire crédit, il refuse les chèques, il veut être payé en liquide, moi, je ne sais pas aller à la banque, tes chèques sont là, que faire, viens résoudre tous ces problèmes.

Ma mère n'est pas étonnée de me voir arriver. Elle est persuadée que j'habite chez elle et me prend pour mon frère aîné. Elle a encore maigri. Elle me dit : la peau sur les os, que la peau sur les os. Quand j'étais jeune, j'avais la plus belle poitrine de la famille, j'étais ronde, bien enveloppée, je ne sentais pas mes os. Tu vois, touche mon bras, que de la vieille peau qui entoure les os. Dis-moi, Keltoum veut me faire passer pour folle, elle croit ou fait croire aux gens que j'ai accouché d'un bébé, tu te rends compte, quelle déchéance ! Je ne suis pas folle, à mon âge, avoir un bébé ! Elle a confondu le bébé de l'infirmière avec le garçon que j'avais eu avant toi et qui est mort quelques jours après sa naissance. On l'avait nommé Mokhtar, puis on l'avait enterré à Bab Ftouh, tu sais, le cimetière à la sortie de la ville, c'est à un quart d'heure d'ici, tu sors, tu prends la première rue à droite, c'est Bouajarra, puis tu traverses Ressif, puis tu passes par Fekharine... attends, je crois que je me perds, non, pour aller à Bab Ftouh, c'est simple, tu sors, dès que tu vois un cercueil porté par quatre grands gaillards, tu le suis, il t'emmènera au cimetière et c'est là que j'ai voulu aller hier, mais Keltoum m'énerve et me fait croire que nous ne sommes pas à Fès, je n'ai jamais quitté Fès, pourquoi cette paysanne me dit le contraire ? C'est elle qui est folle, n'est-ce pas mon fils qu'on est à Fès, ton père vient juste d'ouvrir son magasin d'épices, il est dans le quartier du Diwane, c'est là son magasin, il vend du cumin, du gingembre, du poivre, du piment, il vend en gros, jamais au détail, vas-y, tu lui dis que le repas est prêt, à moins qu'il préfère manger sur place, si les clients sont nombreux, vas-y, dis à Keltoum que nous sommes à Fès, que le Sultan a été exilé, que le Maroc pleure son roi et que les hommes manifestent pour son retour.

Mais, yemma, nous sommes à Tanger, tu confonds les époques. Keltoum a raison, prie pour qu'elle ait de la patience.

Comment est-ce possible ? le roi Mohamed V est revenu et je ne suis pas au courant ? Quoi ? Il est mort ? Mais de quoi est-il mort ? Mais pourquoi on me cache tout ? Je vais me fâcher. À part ça, mon fils, j'ai pris un bain hier avec de l'eau tiède, presque froide, le chauffe-eau est tombé en panne, ici, pour avoir un plombier, c'est très dur, alors Keltoum a fait chauffer de l'eau dans des marmites et elle m'a lavée comme si j'étais un bébé. C'est vrai, je suis devenue si petite qu'elle me prend pour un bébé. Moi, un bébé ! remarque, je suis encore toute jeune, la preuve, j'ai allaité l'autre jour le bébé de l'infirmière. Elle me l'a laissé, elle me l'a donné. Il est si mignon. C'est toi, tout à fait tes yeux, ton nez, tes cheveux... Mais tu sais, on m'a enlevé mon bébé, ils ont dit que je n'avais pas toute ma tête, ils l'ont donné à une jeune femme, je crois qu'elle est infirmière, pour s'en occuper. J'ai dit d'accord, mais il faudra me le rendre un jour quand je serai guérie, je suis quand même sa mère, tu sais, la nuit je rêve de cet enfant, je me retrouve, le bébé dans les bras, à Moulay Idriss, dans le mausolée, je le fais bénir, je prie pour lui et pour vous tous. Dieu m'est témoin, je ne cesse d'invoquer sa miséricorde et le remercie de m'avoir fait ce superbe cadeau, un beau bébé à la peau si blanche, comme je l'aime, tu sais, je n'aime pas les peaux très foncées, tu vas me gronder, mais je préfère les enfants nés à Fès avec une peau blanche, rose, et surtout une peau qui me rappelle la mienne quand j'étais petite. Tu ris, mais c'est vrai, j'ai été belle, demande à ton père, il m'a épousée alors que je n'avais pas vingt ans, dis-lui de te raconter... Il est mort ? Ah, c'est vrai, mais quand tu iras sur sa tombe, parle-lui, il faut parler aux morts car ils sont vivants dans nos cœurs, c'est Dieu qui le dit, c'est dans le Coran. J'espère que tu me raconteras tout quand je serai sous terre, j'aime l'idée que tu me parleras, même quand je ne pourrai pas t'entendre ni te répondre. Tu sais, mon fils, ça me rassure. Je l'ai déjà dit à ton frère aîné, celui qui connaît par cœur le Coran, il m'a promis de dire une sourate chaque fois qu'il viendra se recueillir sur ma tombe. Le Coran adoucit le cœur et enrobe l'âme de miséricorde et de tendresse. Je le sais parce que je suis à deux doigts de la terre où je serai ensevelie. Je le sens et ça ne me fait pas peur. Le Coran, la parole d'Allah seront avec moi. Les anges assurent cette présence ; pour cela il faut être bon, honnête, le cœur tout blanc, or j'ai passé ma vie entière à éviter de salir mon cœur. Je ne sais pas ce que c'est que le vol, le mensonge, la trahison, le mal. Quand ton père me maltraitait avec ses mots durs et blessants, je lui répondais par un verset du Coran et lui disais : je te laisse entre les mains d'Allah, moi je ne suis qu'une pauvre créature fidèle à Dieu et à son prophète.

Ma mère me fait remarquer que mes amis ne viennent plus la voir. Tu ne sais pas garder tes amis ou tu ne sais pas les choisir. Je voudrais savoir ce qui se passe. Tiens, avant, Zaylachi venait de temps en temps, il m'apportait du bois de santal, discutait avec moi, m'embrassait la tête comme si j'étais sa propre mère. C'est un homme charmant, bien éduqué et qui a le sens des choses. Que lui est-il arrivé ? Pourquoi ne vient-il plus à la maison ? Même ministre, il trouvait le temps de passer un petit quart d'heure avec moi. Je le vois à la télé. Il est beau. On dirait qu'il a rajeuni. Il est toujours aux côtés du roi. C'est un homme bien. Ton ami d'enfance lui aussi ne vient plus. Avant, sa femme passait, bavardait avec moi, puis s'en allait gentiment. C'est curieux ! Les gens changent souvent d'humeur, mais enfin, tes amis se font rares. Je dois les ennuyer. Je sais, je ne suis pas drôle, après tout ce sont tes amis, j'espère qu'ils n'ont pas changé. Mon petit frère, celui qui est passé tout à l'heure, a beaucoup d'amis. Je dirai à ton père que Zaylachi a pris ses distances. Il doit être très occupé, ministre, père de famille, il fait beaucoup de choses. Moi je ne fais rien. Ton père est au magasin et moi à la cuisine. Ç'a toujours été ainsi. La cuisine, le ménage, la cuisine, la table, la vaisselle, et ton père qui rouspète parce que le tajine manque de sel. Tiens, tout à l'heure tu lui parleras, j'en ai assez de ses colères, j'en ai assez de ses humeurs, il me traite comme si j'étais sa domestique. Oui, je sais, tu vas me dire que ton père est mort il y a dix ans ! Je sais, mais il revient de temps en temps, il pousse la porte, entre sur la pointe des pieds, jette un regard de contrôleur, puis disparaît. Je ne le vois pas, mais je sens sa présence, alors je lui parle, je lui dis tout ce que j'ai sur le cœur. Je ne laisse rien de côté, je vide mon sac, il m'écoute et ne dit rien, les morts ne parlent pas, n'est-ce pas ?

Ma mère sent mauvais. Elle sent la merde. Elle a fait sous elle et ne le sait pas. Elle, si élégante, si belle, si attentionnée à l'hygiène... Elle n'est plus elle-même. Elle ne se souvient plus de ce qu'elle a été. Elle aurait été horrifiée par cet état dont elle n'est plus consciente. Je regarde Keltoum, qui me fait signe de la tête. Je sors de la chambre, pendant qu'elle et Rhimou l'emmènent à la salle de bains.

Ma mère, l'élégance même, la propreté maniaque, le parfum naturel de sa peau, ma mère, le printemps sur la terrasse de la maison de Fès. Elle est belle et vient de rentrer du hammam. Comme d'habitude elle baise la main de mon père, qui lui dit : À ta santé ! On mange sur cette terrasse, qui communique avec celle des voisins. On met en commun leur repas et le nôtre et on se réunit simplement. Ma mère sent très bon. La voisine lui fait des compliments. Le soleil est doux. Je joue avec une des filles de la voisine, pendant que mon frère corrige sa rédaction. Elle a des seins tout petits, je fais le médecin, elle fait semblant de s'évanouir, je la prends dans mes bras, ma mère suit la scène de loin, elle rit, la petite court se réfugier dans les jupes de sa mère, moi aussi, ma mère m'attrape et me serre contre elle. Elle sent si bon, elle sent la mère aimante, la mère heureuse, en bonne santé.

Ma mère ne comprend pas pourquoi Keltoum l'oblige à refaire sa toilette. Keltoum est de mauvaise humeur. Elle est brusque. Ma mère proteste, Rhimou aussi, qui n'aime pas les manières de Keltoum. Je suis dans le couloir et j'assiste à la scène, impuissant. Ma mère pleure. Comme une enfant prise en faute, elle pleure. Je détourne les yeux. Je me dis : j'aurais pu venir une demi-heure avant ou après cet incident. Peut-être que Keltoum l'a laissée dans sa merde, pour que je me rende compte de tout ce qu'elle fait quand je ne suis pas là. C'est possible. Voici ce que je supporte, vous qui ne faites que passer à l'heure du thé, vous embrassez votre mère, vous lui demandez de prier pour vous et de vous bénir, et ensuite vous vous en allez et moi je suis toujours là pour supporter ses insomnies, pour la suivre dans ses délires, pour ramasser sa merde, lui mettre des couches et me mettre à quatre pattes pour nettoyer le sol, oui, votre mère ne se retient plus, elle perd l'urine et la merde, moi je me suis habituée, mais vous, vous faites des grimaces et détournez votre visage. J'ai l'impression que c'est moi qui suis malade, c'est moi qui perds la tête, et quand je fais sa toilette, c'est moi qui me lave, et je pense à elle, il y a dix ans à peine elle était malade mais cuisinait encore, était propre et s'inquiétait pour son élégance, nous discutions de choses graves ou légères, il nous arrivait de rire.

31

Ma mère fait sa prière. Keltoum lui demande d'interrompre ces gestes faits avec les yeux et les doigts. Elle prie assise, en silence. Mais sans ablutions, pas de prière valable. Elle prétend qu'elle est propre et dit qu'elle vient de rentrer du hammam du quartier Makhfiya à Fès. Il fait chaud. Il y avait beaucoup de femmes ce jour-là, mais elle a été bien traitée. Le hammam était plein, Salma m'avait gardé une place pas loin de la source d'eau chaude, j'avais trois seaux et elle m'a frotté le dos comme il faut, les jambes et les bras. Je me suis bien lavée malgré l'invasion des femmes venues d'autres quartiers. Tout le monde préfère ce hammam car il est grand, propre, bien tenu. Moi-même, je suis incapable de me laver dans un autre hammam et puis Salma me connaît depuis toujours. Elle sait ce dont j'ai besoin. Elle a la main juste. L'autre jour, je lui ai donné un bracelet en or pour la remercier. Elle n'en croyait pas ses yeux. C'est pour ça que je n'ai plus de bijoux, j'ai tout distribué. Ça me fait plaisir d'offrir.

Mais où est passé mon caftan blanc, celui que j'ai mis en sortant du bain ? Je ne rêve pas, je me souviens très bien, je l'ai sorti de l'armoire, je l'ai parfumé avec de l'eau de fleur d'oranger, j'ai sorti aussi les sous-vêtements, les chaussettes blanches, le foulard jaune canari, le mouchoir brodé, enfin, tout ce qu'il fallait sortir, si tu ne me crois pas, demande à Habiba, elle m'a aidée à tout préparer. Quoi ? tu ne connais pas Habiba ? Mais vous le faites exprès, vous faites semblant de ne pas me croire, vous vous êtes mis d'accord pour me contrarier. Je dois refaire ma prière, donne-moi la pierre polie pour les ablutions, tant pis pour le caftan blanc. Ce sera pour le prochain hammam.

Ma mère ne souffre pas. Elle est ailleurs. Dès que j'arrive, elle appelle le personnel pour poser la table et mettre les marmites en marche. Aujourd'hui elle a décidé que nous allons manger des brochettes d'agneau. Elle dit les avoir préparées la veille, elles marinent avec le persil, la coriandre, l'oignon coupé en petits morceaux, du cumin, du poivre, du piment doux, du sel et une goutte d'huile d'olive. Elle demande à Keltoum d'allumer le kanoun pour griller la viande. Elle dit aussi qu'elle a préparé un tajine de poulet aux olives et aux citrons confits. Elle dit qu'elle a épluché deux oignons, ensuite elle a mis l'huile, l'eau, le gingembre, le poivre, le sel et quelques poils de safran pur. Elle mélange le tout et surtout le fait mijoter sur un feu doux. Elle rappelle à Keltoum que le poulet doit absolument être de la ferme et non de l'usine, qu'il soit beldi, de chez nous et non de l'élevage en série. Voilà ce qu'elle nous a préparé à manger. Sauf que ce n'est pas l'heure de manger et qu'il n'y a ni brochettes ni tajine. Pourtant elle s'extasie en faisant mine de sentir l'odeur de tous ces plats.

Je n'ai pas d'appétit, dit ma mère. Tous ces médicaments que j'avale détruisent mon appétit. Mais ce qui me fait grand plaisir c'est de vous voir manger ce que je vous ai préparé. C'est mon bonheur. Surtout ne me dites pas que vous êtes invités chez des amis ou chez votre frère. Non, je refuse et dites-leur que votre mère a passé toute la journée à préparer les plats que vous aimez. Alors, une fois la table mise et vous autour, je mangerai du simple fait de vous regarder. Demain je cuisinerai pour votre père. Je lui offrirai son plat favori, les pieds de veau avec un peu de blé et des pois chiches. Ce sera un peu relevé et je le laisserai mijoter sur le feu de bois toute la nuit. Ce sera succulent. J'ai déjà demandé à Keltoum d'aller chez Bouchta, le grand boucher de Fès, pour acheter les pieds de veau. Il faut bien les nettoyer, les frotter pour enlever le duvet, les laisser tremper longtemps dans de l'eau et du sel. Il faut faire attention à l'ail ; tu sais, pour que l'ail ne donne pas mauvaise haleine, il faut l'ouvrir et enlever le germe vert, c'est lui le fautif, les gens ne savent pas rendre l'ail inoffensif.

Mais yemma, mon père n'est plus de ce monde depuis onze ans.

Ah ! bon, il est mort, ça fait rien, c'est son plat préféré. Il faut lui faire plaisir, même les morts ont besoin qu'on soit attentifs à eux. Donc, demain, il se régalera avec ce plat. Mais que faites-vous ? Où allez-vous ? Mais le repas est prêt, asseyez-vous... Comment ça, vous allez rentrer à la maison ? c'est ici votre maison. Votre père ne va pas tarder, tiens, prends le téléphone et appelle-le, si ça ne répond pas, c'est qu'il est en route. Il refuse de prendre un taxi, il dit : il n'y a pas mieux que la marche, mais je sais aussi que c'est par économie, ton père n'a jamais été dépensier, non, il compte son argent, remarque, il n'en a pas beaucoup, nous sommes modestes ; je lui dis que nous serons riches quand j'hériterai de mon père qui a des terres sur la route d'Imouzzer, il ne s'en occupe pas bien, je sais qu'un jour je recevrai ma part, mais on ne parle pas de ça dans la famille tant que mon père est en vie, c'est honteux de penser à l'héritage, et puis on ne sait pas lequel partira en premier, Dieu a ses secrets, j'habite dans le secret de Dieu, il me protège et m'éloigne du mal, quand mon heure arrivera, je n'aurai qu'à fermer les yeux et dire la profession de foi : il n'y a de Dieu que Dieu et Mohammed est son prophète, je dirai ces mots à l'infini jusqu'à l'extinction, jusqu'au silence et la nuit sereine.

J'arrive à l'improviste. Je trouve Keltoum entourée de deux jeunes femmes, jolies, bien maquillées, l'air gêné, chacune un portable à la main. Keltoum me dit : ce sont les filles de mon fils aîné, elles travaillent dans la zone franche au port, dans les usines de confection. Elles se lèvent, saluent à peine ma mère, me regardent de biais comme si nous avions affaire ensemble, puis disparaissent. Keltoum les raccompagne. Je sens qu'elle est mal à son aise. Je ne dis rien. Elle me répète que ce sont les plus grandes de ses petites-filles et qu'elles sont braves. Je ne dis pas un mot, elle continue de justifier leur présence. Je comprends et m'assieds à côté de ma mère qui me parle à voix basse ; ce sont des filles de sa fille ou de son fils, elle a tellement d'enfants, peut-être six ou sept, alors, je ne m'y retrouve plus, les garçons ne font rien, seules les filles travaillent, que Dieu me punisse si j'ai une mauvaise pensée, mais je crois que... enfin, je n'ai rien dit, je ne l'ai même pas pensé... la vie est dure... elles ont le téléphone qu'on met dans la poche, moi je n'ai que ce téléphone qui tombe souvent en panne et son câble n'est pas assez long pour arriver jusqu'à moi, fais quelque chose, achète-moi un téléphone comme celui des filles, je ne saurai pas le faire marcher, prends un appareil juste pour te répondre quand tu m'appelles, j'en ai assez de ce téléphone avec le fil, tu vois, il est noué à un autre fil avec une ficelle, c'est pas pratique, quand je tire un peu, il n'y a plus de tonalité, quand il est en panne, c'est mon cœur qui bat vite, je me dis c'est à ce moment-là que tu vas m'appeler et tomber sur le néant, alors, fais quelque chose... Ces deux filles viennent souvent voir Keltoum. Je crois qu'elles lui donnent de l'argent, ou c'est elle qui leur donne un peu de nos économies. Elles disent qu'elles ont un fiancé, mais rien de précis. Moi je n'ai jamais eu de fiancé, je suis passée des jeux d'enfant à la chambre nuptiale où m'attendait un homme. J'avais peur. L'inconnu. Tu imagines, mon fils, combien les choses ont changé. Je fermais les yeux. Le reste, je l'ai oublié. Les filles travaillent. Combien gagnent-elles ? Je me le demande. Elles ont des bijoux et des chaussures importées d'Espagne. Leur père ne travaille plus. Il avait un camion, mais a eu un accident, on a découvert qu'il n'avait pas d'assurance et que son permis était truqué. Il a failli aller en prison. On lui a pris le camion. Heureusement, il n'y a pas eu de mort ni de blessé. Alors, il est sans travail. Ses filles sont sorties dans la rue. Keltoum dit qu'elles sont au port, mais parfois elles viennent la voir le matin à l'heure où elles devraient être à l'usine. J'ai toute ma tête. Je vois tout, je remarque tout et puis je n'ose pas penser à mal.

Keltoum s'ennuie. Rhimou s'ennuie. Et moi je m'ennuie, même la télévision diffuse de l'ennui, la table basse est bancale, c'est l'ennui qui a corrompu le bois, les infirmières passent à toute vitesse de peur d'attraper l'ennui, mes fils s'ennuient, je le vois sur leur visage, dans leurs gestes, je comprends, je ne suis pas drôle, je mélange le jour et la nuit, je me perds dans le temps, je perds les fils de tout, alors la famille de Keltoum ou celle de Rhimou arrive pour chasser l'ennui, ton père dit qu'elle arrive juste avant les repas pour manger et s'en aller ensuite. Rhimou a deux sœurs, aussi grosses l'une que l'autre. Elles viennent avec leurs enfants, mettent la table, mangent, rotent et boivent du thé en faisant un bruit désagréable avec la langue. Ce sont des paysans, des gens des temps premiers, ils ne sont pas très éduqués, mais je l'accepte, je me dis je fais du bien, je rends service et je ne peux pas les empêcher de venir. Je fais l'aumône, le zakate, c'est ça, mon père m'a toujours dit qu'il faut donner aux pauvres, je donne, même si je n'ai rien, enfin, je donne autrement, je ferme les yeux quand je vois des choses qui me déplaisent. Je n'ai pas le choix. Pas le choix, mon fils, pas le choix ; mon homme qui n'est pas encore rentré, je l'attends et il tarde, j'espère qu'il ne lui est rien arrivé de grave, ton père est têtu, il est le dernier à fermer le magasin, je l'attends, tiens, appelle-le, dis-lui de se dépêcher, la nourriture est en train de refroidir.

Mais yemma...

Je sais, tu vas me dire encore que ton père n'est plus de ce monde, tu te trompes, moi je l'ai vu ce matin, il m'a parlé, il m'a même demandé de lui cuisiner des pieds de veau, alors... Ah, je comprends, il dû passer par Chama'ine saluer Sidi Abdesslam, mon oncle, celui qui avait arrangé notre mariage, ils sont amis, parfois, ils se voient, parlent et oublient l'heure du déjeuner...

Mais yemma, nous sommes le soir, nous sommes la nuit, il est deux heures du matin, tout le monde dort, Keltoum dort, Rhimou aussi, et moi je tombe de sommeil. J'ai accepté de rester cette nuit avec toi pour voir si ton sommeil est bon, mais là, tu as les yeux ouverts et l'esprit ouvert aussi. Nous ne sommes pas à Fès et Sidi Abdesslam, comme mon père, est mort il y a longtemps....

Alors ils se rencontrent chez Dieu, peut-être au paradis, j'espère pour eux, tiens quelle heure est-il ? Je dois prendre mes médicaments, ah ! non, ce n'est pas le moment ? Et pourquoi ce ne serait pas le moment ? Tu dois savoir, mon fils, ce qui est bien pour moi et ce qui ne l'est pas, allez, bonne nuit, je crois que j'ai sommeil.

C'est la deuxième fois que ma mère me dit : Je ne t'ai pas vu depuis ton enterrement, tu m'as manqué ! Elle vit au paradis. Elle est vraiment ailleurs, puisqu'elle retrouve tous les morts de la famille, passe des moments à parler avec eux et nous fait croire qu'ils sont présents parmi les vivants. Mais pourquoi m'a-t-elle intégré au cortège des morts ? Elle ne veut pas vivre sans moi et m'emporte avec elle dans ses rêves éveillés, dans ses hallucinations qui finissent par nous amuser. Avec mes frères on se téléphone pour raconter les dernières anecdotes et on rit en se disant : Au moins, elle ne souffre pas.

Quand je proteste gentiment en lui disant : mais je suis vivant ! elle rit et ajoute : de toute façon, je n'aurais pas survécu à ta mort, Dieu m'emportera de ton vivant, j'y tiens, alors si je t'ai parlé d'enterrement, c'est que j'ai dû te confondre avec mon petit frère bien-aimé, tu sais, mon fils, la confusion, tout se mélange dans la tête, tout, les gens et les heures, les images et les sentiments, les légumes et les fruits, les médicaments et le sucre, le jour et la nuit, les étoiles et les rêves, le sommeil et l'oubli, voilà, mon fils... tu es sûr que tu es bien mon enfant ?... l'oubli, j'oublie le principal mais ça va, j'espère que je ne pèse pas sur vous et que je resterai légère jusqu'au bout. Tu sais, quand j'avais dix-sept ans et que j'ai perdu mon premier mari, quelqu'un m'a dit Dieu t'a épargné la pesanteur de la vie, tu es à présent légère, une enfant déjà veuve, mais la vie ne s'arrêtera pas, tu es l'innocence bafouée par cette mort brutale, toute ta vie tu feras en sorte de rester légère, c'est important. Alors après ces paroles, je n'étais plus triste, j'avais l'impression d'avoir des ailes, c'est pour ça que le deuil a été moins pesant et que je me suis remariée assez vite. Ma mère aussi était élégante grâce à cette légèreté. Elle était comme une abeille, vive, rapide, gracieuse. Je voudrais tant lui ressembler le jour de sa mort. Elle est partie dans son sommeil, moi aussi je me laisserai emporter dans le sommeil.

Les fantômes du passé ont dû prendre congé de ma mère. Elle a eu une nouvelle crise de démence ce matin. Plus rien n'est à sa place, les êtres comme les choses. Je l'appelle. Elle est en larmes, en détresse. Viens vite, je t'en supplie, viens et amène-moi mes enfants, la petite fille que j'ai adoptée est partie, elle était avec moi dans la salle de bains, elle est sortie ouvrir la porte de la maison puis elle a disparu. On me l'a enlevée, elle était trop bien pour moi, je sais, mais je suis folle d'inquiétude, elle n'est pas revenue, mais où est-elle ? J'espère qu'on ne lui fera pas de mal, alors viens, je te supplie à genoux, ne me laisse pas seule, il y a des gens qui me veulent du mal, ils vont et viennent. Je les vois, ils s'approchent de moi.

Je la trouve très agitée, son foulard n'est pas bien ajusté sur sa tête. Elle tend les bras. Je l'embrasse. Mes enfants la couvrent de baisers, elle semble apaisée mais tient à ce que nous restions auprès d'elle. Elle ne voit pas bien. Ses lunettes sont cassées. Au moment où nous la quittons, elle se met à supplier. J'ai la gorge serrée. Les enfants me demandent pourquoi elle pleure. Nous partons en lui promettant de revenir le lendemain, elle comprend le mois prochain et confond les saisons, ce sera ramadan, vous viendrez pour la rupture du jeûne.

32

Zilli est morte. Roland vient de me l'annoncer. Elle déjeunait sur la terrasse du restaurant le Mirabeau à Lausanne par une belle journée de juillet. Une amie l'accompagnait. À la fin du repas elle s'est mise à tousser ; son amie lui a donné un verre d'eau ; elle l'a bu puis s'est étranglée. Son corps est tombé de la chaise et sa tête est venue s'enfoncer dans l'herbe. Roland était à la piscine Pully et jouait au ping-pong. Il entendit au haut-parleur quelqu'un l'appeler, c'était la police. On lui annonça la nouvelle. Il revint à la table de ping-pong et continua la partie. Il me dit de toute façon elle était morte, il fallait terminer le match d'autant plus que je gagnais. Le lendemain il a ouvert l'enveloppe où Zilli avait noté ses instructions : je vous demande de m'incinérer et de disperser mes cendres dans le jardin du souvenir ; je ne souhaite aucune cérémonie religieuse ni d'avis dans la presse.

Le jour de la crémation, il y avait quelques vieilles dames dont son amie aveugle, la concierge de son immeuble, Monique et Naomi la petite amie de Roland de l'époque.

Pour ma mère, la déchéance continue. J'ai de moins en moins de plaisir à la voir. Elle est chaleureuse, mais confond les visages. Elle a besoin de notre présence, c'est pour ça que je la vois presque tous les jours.

Keltoum s'est absentée pour la journée. Tout s'est écroulé autour de ma mère. Rhimou a beau la rassurer, il n'y a rien à faire. Une pièce manque au puzzle et c'est la panique. Keltoum n'en peut plus. Elle a besoin de respirer une ou deux fois par semaine. Je la comprends. Elle me rappelle qu'elle n'est pas une employée de maison mais une amie, un membre de la famille.

Mes visites sont de plus en plus brèves. Il n'y a pas longtemps, je m'asseyais à côté de ma mère, lui tenais la main et nous discutions. À présent, j'hésite à lui poser des questions sur sa santé. C'est pour elle l'occasion de partir dans un délire qu'on est obligé de suivre ou de faire semblant de comprendre. Curieusement, c'est au téléphone qu'elle est la plus cohérente. Peut-être que la voix rend la mémoire plus fidèle que l'image. Pour le moment, j'alterne : un jour je lui parle au téléphone, le lendemain je passe la voir.

Keltoum a établi la liste des réparations nécessaires à la bonne marche de la maison :

— Changer de chauffe-eau, il n'est plus réparable.

— Acheter une nouvelle cuisinière.

— Réparer la chasse d'eau.

— Se débarrasser du vieux tapis rbati. Il pue.

— Installer une parabole pour que Rhimou puisse suivre le feuilleton *Esmeralda*, sinon elle ira le voir chez les voisins et votre mère n'aime pas la voir partir, même dans la maison d'à côté.

— Parler à la pharmacie pour qu'elle me fasse crédit.

— Et puis, si cela n'est pas trop demander, m'acheter un portable... Oui, j'en ai besoin pour être jointe par mes nombreux fils et petits-enfants.

Ma mère est très occupée. À peine si elle a remarqué ma présence. Elle enroule un mouchoir autour de son index, puis de son pouce. Elle refait le même geste des dizaines de fois. Elle parle, se parle comme on s'oublie, répète des mots à l'endroit, à l'envers, chantonne à voix basse, fredonne, puis s'arrête tout d'un coup. Qui est là ? Ah, mon fils, je ne t'ai pas vu entrer, ça fait longtemps que tu es arrivé ? Mon fils, ma vue ne cesse de baisser. Il fait sombre tout le temps. J'ai besoin de lumière, c'est important, la lumière. Dis-moi, en rentrant, n'as-tu pas rencontré mon père, tu sais, ton grand-père ? Il était là, je crois qu'il a déjeuné avec Moulay Ismaïl, tu sais, celui qui a huit filles et qui cherche tout le temps à les marier. Le pauvre ! huit filles... Certaines ont trouvé un mari. C'était arrangé. Il est bijoutier. Il est riche. Une de ses filles a épousé un cordonnier. Tu te rends compte ? Un pauvre artisan qui répare les vieilles babouches. Quelle corvée ! Il ne gagne rien. Alors son beau-père lui a proposé de lui ouvrir une boutique de chaussures pour femmes. Il était fou de joie. Mais à force de ne travailler qu'avec des dames, il a fini par en épouser une et l'a imposée dans son foyer. Moulay Ismaïl est venu se plaindre à mon père, tu sais, ton grand-père est un homme très respecté, les gens viennent de tout le pays pour demander son avis. Alors, j'ai tout entendu, la pauvre Ghita, elle s'appelle Ghita je crois, elle est allée à Moulay Idriss, au mausolée, et a demandé asile au grand saint, elle a dit qu'elle ne quitterait le mausolée que lorsque la deuxième femme serait répudiée. Mais on est à Fès et l'islam donne raison au mari, il paraît que le Coran dit qu'il faut être juste avec chacune des épouses. Comment être juste ? Dis-moi ce que j'aurais fait ? En tout cas, je ne me serais pas exilée chez Moulay Idriss. Je ne suis pas mauvaise. Non, je n'irais pas crever l'œil de la pauvre seconde épouse. Non, j'en suis incapable. Dis-moi, qui es-tu ? Au fait, où sont passés mes trois maris ?

Elle ne dit plus rien. Son regard est vide. Que fait le temps ? Je ne suis pas certain qu'il passe. Il la contourne comme si elle ne comptait plus pour personne. Le temps enjambe ce corps réduit à si peu de chose. Elle est là, oubliée du temps, installée, figée dans les années quarante, fidèle à ses fantômes. Elle enlève son foulard. Keltoum le lui arrache des mains et le lui remet méchamment. Elle la gronde. Elle ne répond pas, se laisse faire.

Elle a réclamé un miroir. Keltoum a hésité. Ma mère a insisté. Elle s'est regardée dans un petit miroir de poche brisé au milieu. Elle s'est mise à rire. Mais qui sont les deux femmes qui se penchent sur moi et me regardent ? Elles se ressemblent. Elles sont folles, folles et vieilles. L'une ressemble à Lalla Bouria, la mère de ma mère morte à cent ans, mais que vient-elle faire ici ? si elle est morte, elle ne doit pas être là, pourtant, je la reconnais, c'est bien elle, elle était traitée comme une reine parce que après ma mère, elle n'avait eu que des garçons, quatre garçons, tous beaux et intelligents. L'autre, je ne sais pas qui c'est. C'est peut-être ma mère, mais ma mère n'est pas morte, elle a déjeuné avec nous tout à l'heure. Mais c'est à qui ces cheveux blancs, gris, pas beaux ? Tout de même, elle aurait dû les tenir dans un foulard jaune canari. J'aime cette couleur. Elle fait du bien à mon cœur. Tiens reprends ton miroir cassé. C'est toi qui l'as cassé. Ils ont tout cassé dans cette maison. S'ils pouvaient, ils me casseraient aussi. Mais il y a mon fils qui veille et puis mon père vient me voir deux fois par jour. Qui habite dans ce miroir ? Tu vois ce que je vois, c'est étrange, il ressemble à Moulay Ali, mon frère, tu te rends compte, tout le monde me disait qu'il était mort alors qu'il n'a jamais quitté notre maison, il a juste changé de domicile, il est venu chez nous se réfugier, sa femme ne le comprend pas et lui crée des problèmes, tiens regarde ce miroir, il est assez grand pour cacher mon petit frère ! Il me parle, tu entends, il dit qu'il attend l'arrivée de notre père pour sortir de sa cachette. On m'a souvent dit que le miroir ne ment pas. C'est vrai, il est beau mon Moulay Ali ! Ah si sa femme le voyait, elle qui a fait croire à tout le monde qu'il est mort, mon frère est vivant, j'en ai la preuve. Va voir les autres miroirs, cette maison en est pleine, regarde si ton père, qui lui est bien mort et enterré, n'essaie pas de se glisser derrière le grand miroir dans le couloir, celui qu'il avait acheté au rabbin de Tanger, il disait que c'est un miroir qui vient de loin, d'une ville sur l'eau en Europe. Ah, ces glaces qui nous réservent des surprises. Bon, j'entends le pas de mon père, je vois qu'il tient un enfant par la main, mais quel est cet enfant ? C'est peut-être Abdelkrim, celui que j'ai perdu à cause d'une forte fièvre. Il est beau, il avait quatre ans quand les anges sont venus le prendre. Il est parti léger comme un ange. Mais pourquoi mon père le ramène ? Ils viennent tous les deux du paradis... À moins que les miroirs... les miroirs me jouent des tours, je ne suis pas folle, je vois mon père et il se penche sur moi, je tente de lui embrasser la main, il la retire, toi, tu ne vois rien, mais mon fils, ouvre les yeux, c'est ton grand-père, Moulay Ahmed, l'homme que tout Fès adore et vénère, il n'a jamais fait de mal à personne, il n'a même pas pensé du mal de quelqu'un... Le miroir te le confirmera. Mais qui a pris ma monika ? Elle est si jolie ma poupée fabriquée avec les chiffons que le couturier juif a laissés derrière lui. Je l'ai dessinée dans ma tête et Moshé le juif m'a donné de la laine et des chutes de son tissu. C'est l'été, il fait chaud à Fès. Moché n'a pas chaud dans sa djellaba noire. Il travaille sans lever la tête. Ma mère lui a préparé à manger : des œufs durs et des tomates. Il ne mange pas notre nourriture, il le regrette parce qu'il sent les odeurs de cuisine et dit à ma mère qu'il aurait bien aimé la goûter mais sa religion le lui interdit. Hier il m'a apporté une galette de farine blanche sans sel. Je l'ai mangée par curiosité, elle n'a pas de goût. Moshé est un bon matelassier. Il a toujours travaillé pour notre famille.

Oui, ma monika ? Ma poupée ? c'est curieux, je jouais avec elle à la mariée. C'est ma petite sœur qui me l'a piquée. Elle est jalouse et se croit plus maligne que moi. Tant pis, je ne dis rien, je vais consulter le miroir, lui ne ment pas. Quand je me regarde dedans, je vois un autre monde, des gens étranges tournent autour de moi, je ne sais plus où je suis. C'est encore cette histoire de médicament ! les médicaments me rendent folle, c'est ce que Keltoum a dit l'autre jour au médecin. Comment lui dire que je ne suis pas dérangée, que je suis en voyage et qu'il m'arrive de m'arrêter dans la ville de mon enfance, là je retrouve mes parents, mes objets, mes parfums. Tiens, je déteste le parfum de cette bourrique de Keltoum, elle ne m'entend pas, elle est sortie, donc je peux dire que c'est une bourrique, une femme qui me fait peur, où suis-je ? j'ai la tête qui tourne, j'ai envie de dormir, ne t'en va pas, reste près de moi, donne-moi la main...

Ainsi ma mère n'a que des souvenirs. Ils prennent toute la place. Quand je la vois, il ne se passe rien. Ma mère s'en est allée doucement. Elle ne parle plus de ses funérailles. C'est qu'elle pense qu'elle est déjà morte et enterrée. Elle est déjà de l'autre côté. J'ai de la peine et je ne dis rien.

33

« La langue est tombée » ; ma mère a du mal à articuler. Je ne comprends pas ce qu'elle dit. Je capte un mot et je devine le reste. Son visage est d'une pâleur étrange. Les yeux ouverts regardent le plafond. Le médecin lui a retiré son dentier. La bouche est un trou, la lèvre inférieure est avalée par ce trou. Ses mains sont très maigres. Elle est couchée sur le dos et ne bouge plus. Dès qu'on la touche, elle crie timidement. Le sommeil ou l'absence. Par intermittence. Elle s'absente et ronfle. Il faut surveiller la glycémie, la fièvre, la transpiration. Il faut nettoyer ses yeux vitreux.

Je m'assieds à côté d'elle et lui prends la main. Elle réclame ses enfants. Nous sommes tous là. Il ne manque que Touria, partie à La Mecque.

Son médecin, qu'elle reconnaît sans jamais se tromper, la voit matin et soir. À présent, c'est moi qui lui parle et lui raconte ma jeunesse : Tu as maigri, tu te souviens, quand tu étais en bonne santé, comme tu étais belle et vive, tu me courais après pour me punir, parce que j'avais fait une bêtise. Tu te souviens de notre maison à Fès, la dernière maison que mon père a construite, elle était grande et manquait de confort. L'hiver on se gelait, on dormait sous des couvertures lourdes, le sol était recouvert de ciment, mon père n'avait pas d'argent pour acheter du zélige, et encore moins du marbre, car la maison de ma tante était riche en marbre importé d'Italie. Pour nous c'était le grand luxe. Petit j'ai découvert qu'il y avait des pauvres, beaucoup de pauvres et des riches, mais le mari de ma tante était riche parce qu'il travaillait beaucoup, je l'aimais bien, un homme discret et gentil, il me glissait toujours un billet dans la main, il me souriait et il ne fallait pas le dire à mon père, il aurait été furieux, mais je donnais cet argent à ma mère qui était contente, un jour elle me demanda de l'accompagner à la médina, au souk D'hab, le marché de l'or, elle sortit un mouchoir dans lequel elle avait fait un nœud autour d'une petite somme d'argent, elle me la montra et me dit, c'est ton argent, je l'ai gardé, à présent tu vas me faire un cadeau avec ton argent. Un cadeau ! Elle n'en avait jamais reçu. Rien. Pas même un bouquet de fleurs ou une boîte de chocolats. Ma mère était fière et contente que son fils lui offrît son premier cadeau. Je comptai l'argent et je dis au bijoutier que me donnes-tu avec cette somme ? Il compta les billets, puis il dit en regardant ma mère : avec ça un bracelet ! choisis celui que tu veux, non pas les gros, non, prends un parmi les fins, et puis les gros ne sont plus à la mode. Ma mère hésita beaucoup, puis se décida. Elle me le remit et attendit que je le lui offre. J'étais ému, elle aussi. Tu te souviens, moi je n'ai jamais oublié cette histoire de bracelet ; plus tard je t'ai offert ta première ceinture en or, je me souviens du commentaire de ma tante, trouvant qu'elle était moins belle que la sienne, mais l'époque avait changé, tu as répondu en disant que tu ne tenais pas à avoir ce bijou lourd et cher, mais que tu l'avais accepté pour faire plaisir à ton fils. Tu l'as peu porté, puis un jour tu as décidé de l'offrir à ma femme. Ma mère esquisse un sourire, puis gémit. Sourire lui fait mal. Je serre sa main. Elle fait un effort pour serrer la mienne. Au bout d'une heure passée à son chevet, je m'habitue à sa pâleur et à sa grande fatigue. Quand je suis arrivé l'autre jour, ma première impression a été brutale : j'ai pleuré tout en cachant mon visage dans mes mains.

Je suis parti avec mon frère aîné au cimetière. Besoin de prévoir un certain nombre de choses. J'avais un rire nerveux. Je lui racontais des blagues, pour ne pas penser à ce que nous étions censés faire : choisir un endroit pour la tombe de notre mère. Le responsable du lieu, Laroussi, nous montra plusieurs endroits tout en étant désolé :

— Que Dieu lui donne la délivrance, là ce serait bien, en face il y a la ville et surtout la montagne toute verte, la vue est superbe, c'est sans doute une personne de qualité qui aime la sérénité et le bleu du ciel, à moins que vous préfériez la mettre de l'autre côté, mais je ne vous conseille pas, pour y accéder il vous faudrait marcher sur plusieurs tombes, ce qui est en blanc n'est pas très recommandé, ici ce serait bien, venez, mettez-vous à l'endroit exact, que voyez-vous ? vous admirez le paysage, c'est magnifique, ce côté est très prisé, les gens qui ont les moyens le réservent, je suppose que le problème des moyens ne se pose pas...

Nous visitons le cimetière de long en large. Je n'essaie plus de détendre l'atmosphère. Un convoi funéraire passe. Laroussi commente :

— Il est midi, c'est le sixième enterrement de la journée. Hier on a eu onze morts. C'est irrégulier. Il y a des jours sans. Mais je ne parle que de mon cimetière. Les autres, je ne sais pas.

Nous passons et repassons devant la tombe de mon père. Mon frère s'y arrête et fait une prière. Je remarque que la tombe est en retrait par rapport au chemin. Je demande à Laroussi s'il y a de l'espace pour une nouvelle tombe. Il jette un coup d'œil puis dit :

— Trente-cinq centimètres sur un mètre soixante, voyons voir, oui, c'est possible.

Je m'étonne. Trente-cinq centimètres, c'est peu. Laroussi m'interrompt et m'informe comme si j'étais un mécréant :

— Chez nous, les musulmans, le mort est enterré

sur le côté droit en direction de La Mecque. Il n'est pas couché sur le dos comme chez les chrétiens.

Ainsi je serai moi aussi enterré un jour sur le côté droit, la tête dirigée vers La Mecque. J'ai vu le petit corps de ma mère tout ramassé sur le côté, et La Mecque le regardait. J'ai aussi pensé à mon père qui était un croyant saisi souvent par le doute et la colère. Était-il un bon musulman ? Il faisait régulièrement ses prières, il nous bénissait en faisant appel à la bonté et à la miséricorde d'Allah, il jeûnait tout en étant grincheux, portant sa mauvaise humeur sur ma mère ou sur le jeune homme qui travaillait avec lui. Mais il ne fallait pas lui parler du pèlerinage à La Mecque. Il avait en horreur les Séoudiens, qu'il ne connaissait pas directement. Des pèlerins venaient lui raconter leurs mésaventures à La Mecque et se plaignaient des conditions dans lesquelles se déroulait le pèlerinage. De toute façon, il n'avait pas les moyens suffisants pour accomplir ce devoir de tout musulman. Il le disait et citait un verset du Coran.

Un soleil doux et printanier donne à ce cimetière, en ce début d'hiver, une lumière inquiétante. Les tombes ne sont pas alignées selon un ordre géométrique. Elles se poussent les unes contre les autres, comme si les morts allaient s'asseoir et admirer le ciel ou le supplier, lui si avare de pluie. D'ailleurs, des gens ont manifesté pour qu'il pleuve. Ils ont traversé la ville en faisant appel à la clémence de Dieu. La sécheresse est une hantise dans ce pays, et les prières sont un signe d'impuissance. Laroussi nous demande si nous avons fait notre choix. Nous nous regardons sans rien dire, puis, comme pour nous presser de prendre une décision, il se met à vanter la vue qu'on a à partir de cet endroit oubliant qu'il l'avait déjà fait :

— Regardez, la vue est magnifique. Il faut penser à ceux qui viendront se recueillir sur sa tombe. Il vaut mieux qu'ils aient une belle vue. Sinon vous avez l'autre côté, qui donne sur l'autre cimetière. Quand on vient rendre visite aux morts, ce serait bien de ne pas être incommodé par d'autres tombes.

Mon frère lui dit que nous sommes pour la tombe accolée à celle de mon père.

J'ose faire une plaisanterie.

— Je ne suis pas certain que ça leur ferait plaisir de se retrouver de nouveau dans le même lit !

Laroussi fait semblant de ne pas avoir entendu. Mon frère rit. Moi aussi.

Laroussi se met à nous expliquer comment il va procéder pour préparer une tombe jumelle avec deux pierres tombales. Il nous montre une tombe large et nous informe :

— Xcéda !

Il veut dire accident de voiture. Un couple mort sur le coup et enterré dans la même tombe.

En rentrant à la maison, je trouve ma mère au plus mal. Elle souffre dès qu'on la touche. Je la sens si fatiguée, si exténuée, que je me mets à prier et espérer pour elle une douce délivrance. Je sais que mes frères pensent la même chose, mais on n'en parle pas. On se regarde et chacun lit sur le visage de l'autre la même prière. Mon grand frère m'apprend qu'en islam l'euthanasie est interdite mais qu'il existe une prière pour hâter la délivrance. Il cite la formule consacrée : « Nous appartenons à Dieu et c'est à Lui que nous revenons. »

Elle somnole et de temps en temps appelle sa mère et son petit frère. Je la rassure en lui disant qu'ils arrivent. À aucun moment elle n'évoque sa fille. Je ne suis plus sûr qu'elle me reconnaisse. Je lui prends la main. Toute mère reconnaît son enfant au contact de sa peau. Son bras et sa main sont si maigres que j'ai peur de lui faire mal. Elle regarde le plafond et s'en va. Elle s'assoupit et la voilà à Fès en train de jouer à cache-cache avec son petit frère. Elle l'appelle, pousse un petit cri, puis s'absente. Elle n'est plus là. Je surveille sa respiration. Elle n'arrive plus à fermer la bouche. Les souvenirs se jouent d'elle, vont et viennent, lui donnent l'illusion de vivre et de rire, puis se noircissent et tombent dans un puits. Elle a peur d'y être entraînée, de perdre pied et de ne plus remonter. Elle se débat avec des ombres. Je vois sa main bouger, comme si elle devait chasser quelqu'un. Elle n'articule presque plus. On devine ce qu'elle veut nous dire. Keltoum reconnaît bien ces mots à peine prononcés. Les reconnaît-elle ou bien les imagine-t-elle et agit-elle par habitude ? Elle sait que c'est le moment de lui donner à boire ou de la changer. Ma mère insiste. On se penche sur elle, essayant de la comprendre. Elle a envie d'aller aux toilettes. Keltoum lui dit : Tu peux pisser, il n'y a pas de problème, je viens juste de te mettre une couche. Mais ma mère refuse de faire ses besoins dans des couches. Elle se retient. Elle est intransportable. Dès qu'on la touche, elle hurle de douleur.

La maison n'est plus la maison de ma mère. Heureusement elle ne voit plus ce qu'elle est devenue : une sorte de baraquement comme il en existe dans les bidonvilles. Dans la cuisine, la vaisselle s'amoncelle à côté du linge à laver. Dans le salon, l'humidité ronge les matelas. Seule, la salle de bains est propre. Il manque du papier hygiénique. La maladie et la mort, ce sont aussi ces petites choses de la vie, ces détails apparemment sans importance, ce laisser-aller, cette tristesse qui couvre les objets et les murs. De la maladie ou de la mort, où est l'intolérable ? Une amie qui s'était battue contre un mal qui rongeait son corps m'a dit un jour :

— La mort, la vraie, l'insupportable perte et absence, c'est la maladie, des jours et des nuits interminables de dégradation, de souffrance et d'impuissance. C'est ça, la mort, et pas cette fraction de seconde où le cœur s'arrête.

Ainsi, ma mère meurt. Comme elle aurait dit, si elle avait la possibilité de parler : Je ramasse les heures et les jours, je me baisse et je les prends par petits bouts, ce n'est pas grand-chose, mais des morceaux du temps qui passe, ce n'est pas négligeable, mais si vous êtes tous là, je pourrai m'arrêter de me pencher sur les débris du temps. J'en ai assez d'accumuler des heures vides, des journées qui se confondent avec des nuits, des rêves qui me jouent des tours, des souvenirs qui s'ennuient et s'agitent comme des poissons sortis de l'eau, je me noie, je m'en vais, puis une vague me ramène sur le sable, je ne sens rien, mais je suis mouillée, j'ai honte de ne pas me sécher, je perds mes moyens, à quoi bon vous dire que j'en ai assez, tout est entre les mains de Dieu, c'est lui qui guide mes pas sur cette mer plate où je sombre puis me relève, tout dépend de sa volonté, j'ai oublié de prier, je ne sais plus où je suis, je m'en vais, les yeux mi-clos, la bouche ouverte, ah ! que je déteste ce trou, pourquoi je n'arrive plus à fermer mes lèvres ? Je ronfle, j'ai toujours détesté le ronflement, mon dernier époux ne se gênait pas de me réveiller à force de ronfler ; je ne maîtrise plus rien. J'ai envie d'aller à la salle de bains, je refuse de pisser sous moi, non, je retiens mon urine, j'ai mal à la vessie, mais je résiste. Pas de ça ! Pas de ça ! Je vais appeler Keltoum. Elle ne m'entend pas, ou fait-elle semblant ? Je tends la main, je ne trouve personne à mes côtés. Où sont mes enfants ? Je sais qu'ils sont là, c'est le moment de les sentir près de moi. Ils parlent à côté. Je les entends. Je suis rassurée. Je vais leur dire de prier pour moi, de prier Dieu pour qu'il ne m'oublie pas.

34

Quand la langue tombe, c'est que la fin est proche, me dit un cousin, un brave homme. Il ajoute : Mais tout est entre les mains de Dieu ! Qui sait qui partira le premier ? Sache que j'ai réservé pour ta mère un linceul. Je l'avais mis de côté pour moi, mais je tiens encore le coup, et puis tout est entre les mains de Dieu. N'hésite pas à m'appeler, à n'importe quelle heure du jour et de la nuit. Je sais qu'il y a des choses pratiques à préparer, et tu es encore jeune, ou disons inexpérimenté dans ce domaine, mais je ne préjuge de rien, la vie, la mort, la maladie, l'âge, le temps, tout ça va et vient au gré du vent et des tempêtes, avons-nous le choix ? Je m'arrange comme je peux avec ma vieille prostate, et je me force à sortir tous les jours, à marcher une bonne heure, même si ce que je vois me déplaît énormément. J'aime beaucoup ta mère, c'est la vraie noblesse, l'élégance du cœur, la générosité et la patience. Tu sais, elle m'a reconnu, même si sa langue est lourde et ses mots mal articulés. Tu te rends compte, si on avait au Maroc des hospices pour vieux ! J'y serais et ta mère aussi. Quelle horreur ! Quelle décadence ! Bon, je continue ma marche, et n'oublie pas, le linceul c'est moi !

Ma mère a de plus en plus de mal à se réveiller. Elle dort profondément. Comment la ramener à l'état de veille ? Keltoum se lamente. Elle doit lui donner ses médicaments. Moi je l'observe. Elle est ailleurs, peut-être dans une autre ville, une autre vie. Elle escalade des montagnes et redescend légère. Elle aimait bien cette image : monter, descendre, pour dire son embarras, son insatisfaction. Où est-elle à présent ? Elle ne parle plus de Fès ni de la vieille maison de son enfance. Petite, elle ne jouait pas avec des poupées, mais avec les légumes que sa mère préparait pour le déjeuner. Elle leur donnait chacun un nom et une fonction, puis les jetait dans la marmite, ce qui énervait sa mère. C'est ainsi qu'elle a appris à faire la cuisine.

« Ce sont les effets du décubitus », me dit le médecin. Décubitus, cette position allongée complique tout dans son corps. Elle appelle. Je crois comprendre que c'est un appel au secours. Non, elle se préoccupe du dîner. La marmite est-elle sur le feu ? Voilà ce qu'elle veut dire. Tenir son rang jusqu'au bout, jusqu'à la fin.

C'est Keltoum qui nous traduit ses tentatives de

paroles. Elle devine plus qu'elle n'entend ce qu'elle essaie de dire.

J'ai donné à manger à ma mère. Ma mère mon enfant. Une cuillerée de lait et de fromage. Une petite fille qui mange, les yeux fermés, et ma main tremble d'émotion. Les larmes me montent aux yeux et j'abandonne. Keltoum prend le relais et la nourrit comme elle en a l'habitude. Je sors de la chambre et j'essuie mes larmes en pensant non plus à ma mère, mais à mes enfants. Je ne sais comment s'est fait le transfert.

Prendre sa main, sentir les os sous la peau flétrie, lui parler, lui raconter une histoire et attendre un signe des paupières ou des lèvres bougeant à peine. Les souvenirs ont besoin de soleil, de lumière et de musique. C'est l'été sur la terrasse de la maison de Marshane face à la mer. Le vent d'est est furieux, ce qui énerve ma mère, et elle dit regretter l'époque où elle vivait à Fès, dans la médina, où jamais le vent ne s'aventurait. Je l'observe et je la revois serrant un foulard autour de sa tête. Elle aimait regarder la mer et ses petites vagues blanches annonçant l'arrivée imminente de ce vent réputé rendre fous les caractères irascibles. Dans cette lumière équivoque du passé, des voix se croisent, des regards se mélangent, à la recherche d'une belle sérénité. Ma mère a toujours été sereine. Elle n'a jamais perdu totalement cette capacité d'être présente au monde avec calme et élégance. Aujourd'hui encore, c'est ce qui prime chez elle. Peut-être que sa contrariété principale vient de la souffrance qui s'en prend à cette élégance intérieure qu'elle a toujours eue naturellement.

Elle sourit, puis ferme les yeux. Elle n'a pas envie de se voir réduite à l'état d'une enfant malade. Elle s'en va dans les ruelles de Fès et passe tout l'après-midi au mausolée Moulay Idriss. Elle dit que c'est son ancêtre, venu d'Arabie en l'an 808 fonder la ville de Fès. Elle lui parle et lui confie ses inquiétudes, le charge de veiller sur la santé de son fils malade et d'inciter son autre fils à réussir dans ses études. Ô Moulay Idriss, le saint des saints, l'homme le plus proche de Sidna Mohammed, notre Prophète, écoute ma prière, ne m'oublie pas, fais en sorte que la maladie s'éloigne de ma maison, fais en sorte que ta lumière nous ouvre la voie du Bien, ô Moulay Idriss, patron de la ville, homme de bien, sois le messager de ma confiance, de ma foi, que ma maison soit pleine de ta lumière, donne-moi un signe pour que je continue à avoir la santé pour m'occuper de mes enfants, de mon mari qui n'a pas de chance, éloigne de nous le mauvais œil, l'œil des envieux, des jaloux, l'œil mauvais de ceux qui pactisent avec Satan, je ne sais pas répondre au mal qu'on me fait, je ne sais que prier, je ne connais que la route qui me mène vers toi !

Pas besoin d'intermédiaire. Le lien est fort. Elle le porte en elle, comme sa mère et sa grand-mère l'avaient porté en elles. C'est le jeudi qu'elle demandait l'autorisation à mon père d'aller à Moulay Idriss. Elle partait avec sa cousine, sa meilleure amie, apportait un peu d'argent, qu'elle glissait discrètement dans la fente de la caisse à l'entrée du mausolée. Elle donnait ce qu'elle pouvait et n'en parlait jamais. Le soir, elle était heureuse, épanouie et rassurée. Sa visite était sa liberté. En priant, le soir, nous l'entendions rappeler à Moulay Idriss tout ce qu'elle lui avait confié. Mon père ne faisait pas de commentaire, mais esquissait en douce un sourire moqueur.

Keltoum est énervée. Elle pleure souvent. Il y a de plus en plus de laisser-aller dans la maison. Je repense à ce que me disait ma mère : repeindre les murs, préparer le salon en vue de ses funérailles. Le cousin au linceul m'a appelé. Il trouve que Keltoum exploite la situation. Ta mère est une grande dame, elle mérite d'avoir une fin toute de dignité et de classe. Or, Keltoum est une ignorante, une femme du bled qui vous fait sentir qu'elle est indispensable. Dans un premier temps, il faut que ta mère retrouve sa chambre et son lit. Or, là elle souffre parce que les deux femmes veulent être dans la pièce où il y a la télé. Je sais, elle n'est pas en état d'être transportée, mais avec deux bons infirmiers que je connais, Layachi et Lamrani, on pourra la porter dans sa chambre sans lui faire mal, et tant pis pour le feuilleton égyptien ou brésilien. C'est ta mère, et tu as le devoir de veiller sur son confort. Tu sais, même si elle ne parle pas, même si elle n'a plus l'énergie de s'exprimer, elle est consciente de ce qui ne va pas bien. Parle-lui, même si elle a l'air de ne pas t'entendre. Au contraire, elle t'entend et aime tout ce que tu lui dis. L'ouïe continue de vivre. Il ne faut pas croire les apparences. Bon, tu viens avec moi demain au cimetière. Laroussi a des lopins de terre réservés. Je vais lui parler. Il ne faut pas qu'une grande dame soit enterrée en bordure du chemin, même si c'est à côté de son mari. Le linceul, c'est moi. Ne l'oublie pas. À demain.

35

Insomnie. Le visage de ma mère remplit tout l'espace. Elle pose pour Zaylachi, l'ami photographe. Elle ajuste son foulard, regarde droit l'objectif et essaie de sourire. Elle a à peine la cinquantaine. C'est le début de ses problèmes de santé. Elle m'observe. Je me tiens derrière Zaylachi. Il me dit : ma mère a eu la même chose, malheureusement elle est morte quand j'étais étudiant aux États-Unis. Il le lui dit. Elle répond par une prière : « Que Dieu m'emporte du vivant de mes enfants ! » Ou bien : « Que Dieu nous préserve de la séparation. »

Je repense à Roland, qui ne comprend pas cet attachement à ma mère. Il me dit : Les liens intéressants sont des liens de rupture et de contestation. Or, toi, tu colles à ta mère comme un égaré colle à la sainteté. C'est vrai. Et alors ? J'aime ma mère pour ce qu'elle est, pour ce qu'elle m'a apporté et parce que cet amour est quasi religieux. Je me dis souvent : Que serais-je sans la bénédiction des parents ? La bénédiction, cela n'a rien à voir avec la religion. Mais on doit respect, assistance et amour à ceux qui nous ont faits. Je n'ai pas honte de revendiquer cette bénédiction. C'est une passion, un fil de soie tendu entre deux êtres, c'est un amour gratuit, simple et évident.

Un jour d'été, à Fès, j'ai vu un père maudire publiquement un de ses fils. Il lui a retiré sa bénédiction et a demandé à Dieu de lui refuser sa miséricorde. Un attroupement s'est formé et des commentaires ont fusé.

— Un fils exclu de la famille est un homme perdu.

— Un fils maudit va directement en enfer.

— Un père qui en arrive à cet extrême est à plaindre ; quant au fils, il mérite l'isolement et le mépris.

— Dieu l'oubliera dans la géhenne, l'enfer éternel !

Elle voulait voir la mer, sentir l'odeur des algues, se rappeler l'époque où elle habitait au Marshane, face au détroit. Alors elle avait accepté d'aller chez son fils quelques jours. Elle n'était pas encore très malade. Il lui arrivait de sortir, d'aller chez Hassan le bijoutier, puis chez Drissia la couturière. C'était il y a vingt ans. La femme de son fils l'avait laissée à la maison et était partie en voyage voir ses parents. En fin d'après-midi, elle voulut, comme d'habitude, prendre son thé au lait. Tout était fermé à clé, les armoires, les tiroirs, et même la porte de la cuisine. Quand son fils est rentré, il l'a trouvée devant la porte, en djellaba, pleurant : Je veux rentrer immédiatement chez moi. Ici je ne suis pas désirée. Elle a tout fermé à clé avant de partir. On ne m'a jamais fait ça, jamais ! Quelle honte ! Être invitée chez mon fils puis refusée par sa femme ! Où sommes-nous ? Qui sommes-nous pour en arriver à ce niveau de mesquinerie ? Boire un verre de thé. Mon Dieu, de quoi a-t-elle peur, cette fille sans éducation ? Que je lui prenne ses affaires ? La honte, mon fils ! Allez, ramène-moi tout de suite chez moi, quant au thé, je n'en boirai plus de ma vie, car si j'en bois, ça me rappellera de trop mauvais souvenirs !

Heureusement elle a oublié cette histoire.

La maison est lourde de silence. Le ciel est gris. Keltoum somnole. Elle pense à l'avenir. Peut-être qu'elle refuserait de quitter cette maison. Déjà elle réclame une partie de ses indemnités. L'autre femme rêve d'un homme, un époux, une famille. Les objets sont tristes. Il n'y a presque plus de vaisselle. Tout se casse. Ma mère tenait sa maison comme un petit palais. Aujourd'hui tout est en mauvais état.

Juin 1956. Tanger, ville internationale. Une ville mangée par l'Europe, une ville ouverte au monde, tellement ouverte qu'elle passe pour un repère d'espions et de bandits, un lieu de tous les trafics, mais surtout une ville hors du temps, tournant le dos au

Maroc, aux traditions et coutumes marocaines. Ma mère s'y sentait en vacances mais Fès lui manquait. Les Espagnols étaient les plus nombreux, les plus actifs aussi. On ne les considérait pas comme des occupants, ils étaient presque aussi pauvres que nous ; les Français et les Anglais étaient arrogants, riches, puissants et méprisants. Ils n'aimaient pas les Espagnols, les trouvant aussi arriérés que les Marocains. Il était difficile d'avoir accès à leurs écoles et lycées. Il y avait une école primaire en face de la maison de mon oncle : École des fils de notables. J'ai demandé à mon oncle c'est quoi notables, il a réfléchi puis m'a dit c'est certainement ni toi ni tes cousins, nous ne sommes pas assez distingués pour entrer dans leurs écoles, pas assez riches, pas assez amoureux des Françaouis. Le salon de thé Porte était le café des Français, un lieu où des vieilles Anglaises venaient prendre le thé à cinq heures. Les Anglais avaient un cimetière pour chiens. Cela nous amusait et même nous choquait. Tant d'amour pour des clebs, ça nous dépassait ! Les Italiens avaient un palais, une école et un restaurant « Casa Italia ». Les Espagnols avaient un hôpital, là, ils recevaient tout le monde, il y avait de braves sœurs qui s'occupaient de l'accueil des malades et des familles. Ils avaient aussi une école et un journal franquiste *España*. Ma mère ne sait pas compter en pesetas. Elle utilise les rials. Tout comme moi. Elle va au marché et achète de quoi faire une grande fête. Elle est heureuse. Mon frère et moi sommes reçus au certificat d'études primaires. Mon père a encadré les diplômes et a lancé les invitations. Deux jours et deux nuits de préparation. Les oncles, cousins et cousines sont là. Le voisin juif, ami de mon père, est arrivé avec des cadeaux : un stylo Parker à chacun. Et moi je m'échappe et suis mon frère, qui avait rendez-vous avec une jolie fille, une Espagnole, à la plage. Ma mère a pleuré. J'ai tout préparé pour la fête et vous partez à la plage ! Quelle honte ! Que dire à nos invités ? Comment leur expliquer que nos enfants préfèrent manger un sandwich au thon à la plage plutôt que la pastilla que j'ai préparée durant deux jours ? Quand on est rentrés en fin d'après-midi, il y avait encore des gens. Moi j'avais attrapé un coup de soleil. Mon frère s'était bagarré avec le cousin de l'Espagnole. Ce fut une mauvaise journée. Le soir, pour nous faire pardonner, nous avons fait la vaisselle. Ma mère dormait.

Elle nous regarde, même si nous savons qu'elle a perdu la vue. Ses yeux, encore vitreux et vides ce matin, bougent, cherchent où se poser. Elle nous regarde et ne dit rien. Ma sœur me dit : Je n'ai pas de chance, je n'ai jamais eu de chance. Ma mère s'en va sans me parler. Pourquoi ce silence ? Je suis sa fille, tout de même ! Oui, sa propre fille, même si j'ai été élevée par ma grand-mère, au point que, petite, j'appelais ma mère grande sœur. C'est ça, je suis la fille aînée, mais elle préfère les garçons. Je n'ai pas de chance. Celui qui me comprenait est mort. Je suis seule, affreusement seule. Tiens, ses lèvres bougent, elle veut parler, me parler, mais elle n'arrive pas à articuler les mots. Vous la comprenez, vous ? Il fait chaud, elle a chaud. Je l'évente, comme au temps de Fès, quand l'été nous étouffait. Le jour de mon mariage, il a plu. On a essayé de me convaincre que c'est une bonne chose. Elle va mourir, c'est sûr, c'est écrit, je sais que tout est écrit, même si je n'arrive toujours pas à admettre que c'est Dieu qui m'a pris mon homme, c'est un camion fou qui l'a emporté, que Dieu me pardonne, il m'arrive de perdre la raison et je dis n'importe quoi. Il n'y a qu'à La Mecque où je me sens bien. J'ai fait sept fois le pèlerinage, cinq fois avec mon homme. Ce lieu saint est apaisant, même ma glycémie devient normale, mes migraines s'en vont et mon cœur devient léger. Nous aurions dû emmener notre mère à La Mecque. Elle aurait été si contente, si heureuse, elle qui n'a pas connu beaucoup de joie dans sa vie. Mais à présent c'est trop tard, peut-être que Dieu lui réserve un séjour au paradis. Je me souviens de l'époque où elle pleurait souvent, parce que son homme la maltraitait. Il n'était pas violent, mais avait la langue mauvaise. Tiens, elle bouge. Peut-être qu'elle a soif. Elle n'a plus la force de parler. Elle refuse de se nourrir. C'est comme un bébé qui ne veut plus le sein de sa mère. Elle nous regarde, comme pour nous supplier d'arrêter de la forcer à manger.

36

Ses grimaces, sa fatigue, ses mains immobiles nous impressionnent. Ma sœur me regarde. Keltoum regarde ma sœur, et moi j'observe la respiration de ma mère.

Le ciel est bleu. Il fait froid. Keltoum a supprimé le son de la télé. Des images défilent. Une jolie femme trop maquillée parle. Des chars traversent l'écran. Un enterrement. La jolie speakerine, puis une image d'adolescents qui courent en lançant des pierres.

Je me dis : C'est une journée bleue. Une saison bleue. Un silence bleu. Et la mort qui rôde autour de la maison. Peut-être que le bleu annonce le gris, cette teinte amère de l'hiver.

Ma sœur pleure en silence. Les larmes coulent sur ses joues sans qu'elle les essuie. Elle a le regard perdu. Elle n'est plus là. Elle pense à son homme, à sa bonté, à son absence insupportable. Son homme était le type même du brave, quelqu'un sur qui on pouvait compter. Mort sur le coup. Ma sœur regrette de ne pas l'avoir accompagné. C'est ça, l'amour. Elle n'a jamais prononcé ce mot. Ils s'aimaient sans se le dire. Il y avait la présence et la simplicité.

Mon frère aime arrondir les angles. Comment fait-il pour y arriver ? Il pense que tout est négociable. Ma mère n'aimait pas trancher ; elle laissait faire le temps. Mon père ne se gênait pas pour dire ce qu'il pensait des uns et des autres, les angles étaient des angles.

Nous sommes tous autour d'elle. Nous pensons tous à la même chose. Les yeux mi-clos, la respiration pénible. Les odeurs de cuisine arrivent jusqu'à sa chambre. On n'aère pas, de peur qu'elle ne prenne froid. Mon frère a glissé une cassette dans une radio. Un Égyptien psalmodie le Coran. La discussion s'engage sur les différentes manières de le réciter. La marocaine serait la moins prisée. Les Égyptiens seraient des champions dans ce domaine. Je suis mal à l'aise. Un de mes frères murmure les versets que l'Égyptien récite. Ma sœur est contente. Cela lui rappelle ses séjours à La Mecque. Ma mère dort profondément. Keltoum est de mauvaise humeur. On dirait que notre présence la gêne. Je me sens inutile. Mon frère me dit la même chose. Je dirais que nous sommes impuissants. Si on arrêtait les médicaments, elle partirait dans la nuit. Partir ! Ne pas se retourner. S'envoler. Donner la main à l'ange qui veille et se laisser emporter avec élégance, avec légèreté. Retrouver la grâce et la beauté des temps anciens. Ma mère a seize ans et joue à la marelle dans la cour intérieure de la grande maison. Son père la voit et la gronde. Tu n'es plus une enfant, tu es une femme à présent ! Sa mère renchérit : Tu sautes comme une gamine, alors que tu es enceinte ! Je le dirai à ton mari. Il ne sera pas content. Ma mère dénoue sa longue chevelure noire et s'en couvre le visage. Elle a peut-être honte. Elle ne saute plus et rejoint sa mère dans la cuisine en chantonnant. Elle sourit et fait semblant de danser.

Son visage a lentement perdu ses rides. La peau est devenue lisse, jaune ; elle a renvoyé le temps au temps. On sait qu'il est passé et qu'il s'en est allé avec ses traces. En quelques jours, elle s'est débarrassée des années qui pesaient sur son corps. Cela fait longtemps qu'elle marche vers l'extinction. Elle disait : La mort est un droit, un droit qu'on ne peut ni évacuer ni changer. La mort est un fait, au-dessus de nous, en nous, dans notre naissance. Alors, mourir, c'est quoi ? Le droit s'exerce sur nous et nous l'acceptons en silence. Elle l'a accepté avec sérénité, sans jamais se mettre en colère, sans discuter. À quoi bon discuter, en parler et surtout vouloir être plus fort que l'irrémédiable ?

Son visage est celui d'une jeune fille apaisée par un rêve, par une promesse, par un printemps doux et généreux. Son visage s'est donné à la mort dans l'ultime vérité intime. Qui mentirait à ce moment-là ? Vivante, elle ne connaissait pas le mensonge. À l'approche de la fin, elle était encore plus belle, parce que jamais le mensonge ne l'a concernée.

Son agonie a été lente et sans colère. Son corps l'abandonnait peu à peu. Quand elle avait encore la force de parler, elle réclamait que sa toilette soit faite deux fois par jour. Coquette jusqu'à la fin. Élégante et douce. L'angoisse l'avait laissée en paix. Elle ne s'inquiétait plus. Elle nous savait autour d'elle, unis et bouleversés. Nous lui parlions, ses lèvres bougeaient, mais aucun son ne sortait de sa bouche.

Son visage est à présent prêt à se donner à la terre. C'est une expression qu'elle aimait ; elle disait : Celui qui a donné son visage à la terre n'est plus à plaindre. Il faut plaindre ceux qu'il a laissés derrière lui, ceux qui devront vivre sans sa présence.

Elle m'a dit un jour : Tu sais, Rabi'a est morte en accouchant, c'est comme une voix qui est interrompue par quelque chose d'extérieur. Quand c'est brutal, c'est comme ça, un appel téléphonique coupé, on appelle, on appelle, et puis on a du mal à constater qu'il n'y a plus personne à l'autre bout du fil.

Elle n'avait pas peur de sa propre mort, mais elle ne supportait pas le rituel qu'il y a autour de la mort des autres. Une peur enfantine. Des cauchemars mal apaisés. Un cri dans la nuit, des effluves de parfum et d'encens d'Arabie. Une main glaciale, rigide, la tirant vers un précipice. La mort, ce n'est rien. Mais tout ce qui rôde autour est insupportable.

Je vais arriver tout à l'heure à la maison. J'entrerai dans l'impasse Ali Bey. Je pousserai le portail, puis la porte. Je chercherai son visage de loin, et je ne le verrai pas. J'irai dans sa chambre, où elle repose à présent, en attendant le matin. Elle n'a pas dormi dans le frigo. Elle s'est éteinte chez elle. Je me pencherai sur elle et baiserai son visage, comme j'ai fait il y a quatre jours avant de partir. Je vais pleurer, les larmes monteront en quantité, et j'aurai du mal à les arrêter. Je ne sais pas si cela fait du bien. Ce sont les larmes des autres qui font monter les miennes. C'est contagieux. Je n'ai jamais eu honte de pleurer. Je pleurerai pour vider le cœur et l'esprit. Et puis, les vraies larmes, celles que je crains, sont celles qui me réveilleront plus tard, des mois et des années après ce 4 février 2002.

Il y aura des rêves entêtés, obsédants, cruels. Je la reverrai jeune et belle, je la reverrai enceinte de moi dans la chaleur de l'été fassi, je la reverrai à Sidi Harazem, alors que je suis encore bébé, accroché à ses seins, je la verrai au printemps d'Ifrane chez ma tante, légère, heureuse, insouciante. Ces rêves, je les attends et je serai triste au réveil, parce que ma mère ne sera pas là. Je serai l'enfant inconsolé, celui que l'école ennuie et qui préfère l'intimité des femmes et les fêtes des après-midi à la maison. J'irai me réfugier dans le sous-sol, entre les jarres des provisions, et je lui ferai peur. Je sortirai de là en criant ma joie d'avoir réussi à l'effrayer. Je l'apercevrai dans la foule et elle ne me reconnaîtra pas. Je me réveillerai en sursaut et j'appellerai au secours. J'irai sur la terrasse de notre première maison à Tanger et je regarderai la mer à ses côtés. Je lui parlerai et elle ne m'entendra pas. Je lui dirai qu'elle me manque et elle laissera le vent démêler sa chevelure et lui cacher les yeux. Elle n'essaiera pas de refuser le vent. Elle se retournera et partira en voyage, avec le vent.

Peut-être que ce soir, sa mère, son père, ses frères, ses maris l'accueilleront quelque part et lui diront : Mais qu'as-tu fait de tes rides ? Où sont passés tes cheveux blancs ? Tu nous arrives avec toutes tes dents, tu es belle, même si tu es petite de taille... Tu nous as tant appelés que nous sommes tous venus t'accueillir. Pendant des années, tu as appelé Moulay Ali, yemma, Lalla, Sidi Hassan, tu n'as pas cessé de faire appel à nous. Alors voilà, nous sommes tous là. Le voyage n'a pas été trop pénible. Le voyage ou la traversée. Tu arrives en plein hiver. Nous allons enfin dormir, dormir longtemps, toute l'éternité, viens, avance, assieds-toi, repose-toi. Tu verras, ici le temps tourne en rond, parfois il nous donne le vertige. Tu n'aimes pas ça, quand tu étais petite, tu es tombée d'un manège à Jnane Sbile, au jardin public. Tu avais vu des étoiles et tu es restée étourdie pendant quelques minutes. Là, il n'y a pas de manège. Mais tu verras, on sent le temps au vent qu'il fait naître à son passage. Nous ne nous méfions ni du temps ni du vent. Plus rien ne peut nous atteindre. Tant qu'on se souvient de nous, nous existons. D'ailleurs, c'est le vent qui nous informe. Il nous renseigne sur l'état des choses que nous avons laissées derrière nous.

37

C'est l'été à Fès. Il fait très chaud. Ma mère joue à la mariée avec Lalla Khadija, sa cousine et amie. Elles sont sur la terrasse, ont installé une tente qu'elles utilisent comme une dakhchoucha — une chambre nuptiale — ; ont étendu des draps pour faire de l'ombre. Ma mère est la mariée, elle se tient droite, les yeux non pas baissés mais fermés. Elle a mis du rouge sur ses joues et ses lèvres. Lalla Khadija a dessiné un grain de beauté noir sur la joue droite. Elle joue le mari. Avec un morceau de charbon, elle s'est fait une barbe et des moustaches. Elle est l'homme qui vient chercher la femme qu'on lui a choisie. Elle arrive sur un cheval, mime la scène, fait du bruit, donne des ordres. Ma mère baisse le voile sur son visage. Elle est gênée, a envie de rire surtout quand elle s'aperçoit que sa cousine prend au sérieux son rôle et que le cheval n'est qu'un roseau. Viens, suis-moi, monte sur ce cheval, tu es ma femme, tu es mienne, j'espère que tes parents t'ont bien éduquée, sinon, je le ferai ! Ma mère ne répond pas. C'est bon signe, dit Lalla Khadija, une jeune mariée qui observe le silence, une perle qui obéit et ne proteste pas, telle est la femme que j'ai choisie ! Tu es bien éduquée, tu viens d'une grande famille pleine de grâce. Ma mère baisse la tête puis elle est prise d'un fou rire, Lalla Khadija aussi, elle envoie en l'air la dakhchoucha et crie nous nous marierons le même jour, j'espère que nos parents nous choisiront deux frères grands et beaux. Nous serons unies. Nous serons toujours amies.

Il fait de plus en plus chaud. Lalla Khadija remplit un seau d'eau et le verse sur ma mère qui court sur la terrasse, s'empare d'un autre récipient et à son tour éclabousse sa cousine d'eau fraîche ; elles rient, glissent, tombent, se relèvent, courent et ne pensent plus au mariage. Elles sont heureuses. Elles ont à peine huit ans.

La maison. La maison au fond de l'impasse. La vieille maison avec ses deux arbustes secs, son herbe sauvage cachant quelques étuis de médicaments jetés par Keltoum ou Rhimou. Comme si elles habitaient dans un bidonville ou dans la campagne. La vieille maison avec ses murs épais mais fissurés, ses fenêtres qui ferment mal, son humidité mêlée d'odeurs de cuisine, ses tapis élimés, ses deux réfrigérateurs, dont l'un est en panne depuis vingt ans, sa cuisinière noircie par la graisse, le carrelage de la salle de bains mal posé, ses deux toilettes en mauvais état, tant de poussière accumulée derrière la commode, et puis ce fameux miroir dit vénitien, qui s'est décroché tout seul la nuit où la mort est entrée dans le salon, il est tombé sans se briser. Mon frère y a vu un signe du destin, une étrange coïncidence, ma sœur, superstitieuse, l'a recouvert d'un drap, en disant que la mort ne supporte pas la présence des miroirs, car la mort ne doit pas être visible, trahie par le reflet que cet objet risquerait de nous renvoyer. Mais la mort, je l'ai vue, par imprudence, par un mauvais hasard. J'ai vu ma mère comme je n'aurais jamais dû la voir. Sa toilette n'était pas terminée, son corps posé sur une planche, et surtout la bouche ouverte comme un trou rond et noir, un trou donnant sur une obscurité sans fin, ses cheveux enduits de henné noir, la mort c'est ce trou, cette noirceur sur une tête petite et cette planche de bois neuf dans la chambre qui fut la mienne il y a plus de vingt ans. La mort, c'est cette bouffée âcre, acide, brûlante, envahissant les poumons et le cœur, cette odeur d'encens et d'humidité, et puis la porte qu'on ferme sur ce corps qui n'est plus ma mère, qui a été dévasté par la douleur et a perdu le souffle, l'âme. Mais où est ma mère ? Ce trou noir n'est pas sa bouche, cette petite tête ronde n'est pas sa tête, et cette planche n'est pas son lit.

Très vite l'absence, l'immense absence a envahi la maison. Les objets, tous les objets sont devenus inutiles, vieux, abîmés, laids. Les matelas, les coussins, la table bancale, les assiettes, la chaise en plastique, le fauteuil roulant, les béquilles, les couverts en inox, les verres à thé dorés et moches, la télévision et son antenne qui pendouille, les deux lustres du salon sans aucun intérêt, les serviettes de table et des dizaines de chiffons que Rhimou utilisait pour le nettoyage.

Keltoum et Rhimou ont ramassé leurs affaires. Plusieurs valises et gros sacs. Elles ont pris tout ce qu'elles pouvaient emporter, sans demander, sans se gêner. Je m'en fous. Mais je n'aime pas la rapacité. Rhimou a l'air plus humaine, plus touchée par cette grande absence. Keltoum ne dit rien. Elle va d'une chambre à l'autre, essaie de montrer son chagrin, mais l'œil est vigilant, que reste-t-il à prendre ? Ah ! le poste de télé, mais il est lourd, c'est un vieux poste, un de ses fils viendra le chercher, sauf si quelqu'un de la famille veut le prendre, elle attend, range des affaires, fait le vide, va et vient comme une vipère à la tête coupée, elle n'est pas contente, elle est inquiète, ça se voit, la situation qu'elle avait imaginée ne se déroule pas comme prévu, il y a des ratés, des choses étranges, comme cette valise pleine de caftans jamais portés par ma mère et qu'on ne retrouve plus, il y a aussi le service en « taos » qui a disparu, on ne dit rien, comme on n'a rien dit auparavant, on veut en finir avec cet épisode et cette épreuve. Keltoum va s'en aller. Rhimou est prête. Elle vient nous saluer. Je lui donne une enveloppe contenant un bon à échanger contre un billet d'avion pour

La Mecque. Elle est heureuse, part en pleurant. Keltoum assiste à la scène, puis dit : Il faut qu'on parle. Le ton est rude, fruste et inconvenant. Elle tend la main pour avoir son enveloppe, puis la retire en répétant : Il faut qu'on parle. Le ton est carrément menaçant et méchant. Ma sœur pleure parce qu'elle n'a trouvé aucune robe de ma mère. Le pillage a duré des années. Ma mère me disait : Je ferme un œil et j'ouvre l'autre, mais je préfère ne rien dire, j'ai peur qu'elle m'abandonne, elle en est capable. Elle s'est servie comme elle voulait, sans vergogne.

Keltoum veut plus qu'un cadeau d'adieu. Elle réclame quoi au juste ? La maison peut-être ? Son regard n'est pas rassurant. Il n'a jamais été bon. A-t-elle du chagrin ? Quelqu'un dit : Oui, elle en a parce que sa source de revenus s'est tarie. Je n'ose pas y penser. Keltoum a l'humeur mauvaise, une sorte de rage, l'œil sec, la présence encombrante, une colère rentrée à cause de la fin de quelque chose. Je ferme les yeux et la remercie pour tout ce qu'elle a fait des années durant. Elle me dit que Dieu est justice et témoin. Elle prend son enveloppe, l'ouvre, nous tourne le dos et compte les billets, puis me dit : Avec ça, moi aussi j'irai à La Mecque.

Je ne sais plus si c'est le chagrin ou le vent qui soulève la poussière des souvenirs et les trempe dans l'amertume. Un sillon douloureux est creusé dans la mémoire et dans le cœur.

Le deuil dérange les pierres amassées par des enfants et les dépose autour de la tombe. Le silence des regards pétrifiés jette de la terre grise sur de la terre noire remuée par la pioche du fossoyeur. De retour à la maison, le vide nous suffoque. Comme si nous partions en voyage, nous fermons les volets et les portes. La maison a été scellée par l'absence irrémédiable. Elle n'existe plus. Je n'y retournerai jamais. Je n'irai pas non plus sur la tombe. Ce n'est pas ma mère qui est sous terre. Ma mère est là, je l'entends rire et prier, elle insiste pour que la table soit mise, qu'on mange ce qu'elle a préparé durant des heures, elle est debout, ravie de nous voir tous réunis autour de nos mets préférés. Elle attend un compliment. Nous avalons tout avec joie et nous ne lui disons rien. Alors elle dit : Les plats sont vides, c'est la preuve que vous avez aimé ce que je vous ai préparé. Mon frère aîné lui dit : Que Dieu te donne la santé et te garde pour nous, éternelle, présente et heureuse de notre amour. Et nous disons avec le sourire : Amen.

Tanger août 2001-mai 2007

Œuvres du même auteur (suite)

LE PREMIER AMOUR EST TOUJOURS LE DERNIER, *nouvelles, Seuil, 1995, et « Points », n° P278.*

LES RAISINS DE LA GALÈRE, *roman, Fayard, « Libres », 1996.*

LA NUIT DE L'ERREUR, *roman, Seuil, 1997, et « Points », n° P541.*

LE RACISME EXPLIQUÉ À MA FILLE, *document, Seuil, 1998.*

L'AUBERGE DES PAUVRES, *roman, Seuil, 1999, et « Points », n° P746.*

LABYRINTHE DES SENTIMENTS, *roman, Stock, 1999, et Seuil, « Points », n° P822.*

CETTE AVEUGLANTE ABSENCE DE LUMIÈRE, *roman, Seuil, 2001, et « Points », n° P967. Prix Impac, 2004.*

L'ISLAM EXPLIQUÉ AUX ENFANTS, *Seuil, 2002.*

AMOURS SORCIÈRES, *nouvelles, Seuil, 2003.*

LE DERNIER AMI, *roman, Seuil, 2004.*

PARTIR, *roman, Gallimard, 2006.*

GIACOMETTI, LA RUE D'UN SEUL, *suivi de* VISITE FANTÔME DE L'ATELIER, *essai, Gallimard, 2006.*

LE DISCOURS DU CHAMEAU, *suivi de* JÉNINE ET AUTRES POÈMES, *préface de Françoise Bott, Poésie/Gallimard, 2007.*

Composition Graphic Hainaut.
Achevé d'imprimer
sur Roto-Page
par l'Imprimerie Floch
à Mayenne, le 18 décembre 2007.
Dépôt légal : décembre 2007.
Numéro d'imprimeur : 69955.
ISBN 978-2-07-077646-7 / Imprimé en France.

15877